Le fantôme d'Agathe

Evguenia Lesade

Le fantôme d'Agathe

Roman

LE LYS BLEU
ÉDITIONS

© Lys Bleu Éditions – Evguenia Lesade

ISBN : 979-10-377-5818-7

Le code de la propriété intellectuelle n'autorisant aux termes des paragraphes 2 et 3 de l'article L.122-5, d'une part, que les copies ou reproductions strictement réservées à l'usage privé du copiste et non destinées à une utilisation collective et, d'autre part, sous réserve du nom de l'auteur et de la source, que les analyses et les courtes citations justifiées par le caractère critique, polémique, pédagogique, scientifique ou d'information, toute représentation ou reproduction intégrale ou partielle, faite sans le consentement de l'auteur ou de ses ayants droit ou ayants cause, est illicite (article L.122-4). Cette représentation ou reproduction, par quelque procédé que ce soit, constituerait donc une contrefaçon sanctionnée par les articles L.335-2 et suivants du Code de la propriété intellectuelle.

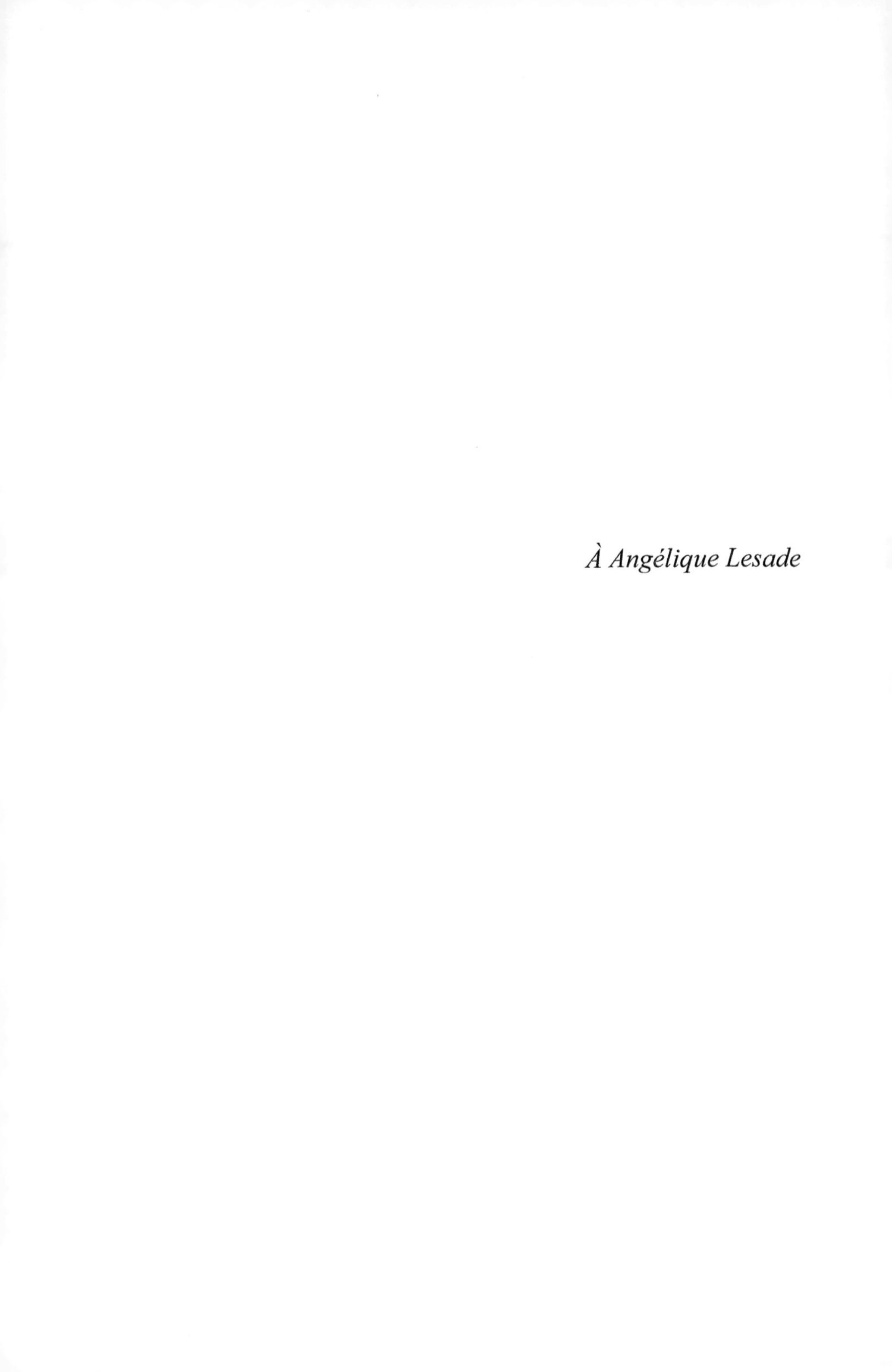

À Angélique Lesade

Il était environ 19 h. Je m'en souviens parce que le repas mijotait dans la cuisine et qu'on se souvient souvent de détails qui se révèlent insignifiants par la suite lors d'un drame. C'est comme si dans le chaos, nous essayions de nous raccrocher à quelque chose de réaliste. Il faisait chaud, même si ce n'était rien comparé aux jours de canicule qui allaient suivre. Le soleil s'éternisait, laissant des traînées roses, orangées, en ce 29 juillet 2003. La porte vitrée était grande ouverte, faisant profiter tout le voisinage des odeurs de la cuisine de ma mère. J'adorais les plats que préparait maman. Cependant, ce jour-là, je n'avais pas faim. Personne n'avait faim à la maison, mais tout un chacun faisait bonne figure devant les autres. Il fallait ingurgiter un minimum de nourriture pour que maman ne se sente pas inutile. Papa lui avait dit qu'il pouvait prendre le relais que ce soit à la maison ou à l'hôpital, mais elle tenait à garder le contrôle, c'est du moins ce dont elle se persuadait. Elle avait pris des congés pour pouvoir être auprès de ma sœur le plus souvent possible, qui d'ici peu se transformeraient en arrêt-maladie puis en invalidité. Mon père l'accompagnait après le boulot. Ils étaient à l'époque auxiliaire de vie pour ma mère et mon père travaillait en tant que conseiller pour une compagnie de gaz. Pour ma part, j'étais confinée entre le collège et la maison. Ils ne voulaient pas que j'aille lui rendre visite, tant que son état ne se serait pas amélioré. Seulement, il ne s'améliora jamais.

J'étais assise sur le bord de la terrasse, fixant mes baskets, pensant à tout et à rien mais surtout à l'inévitable. Je ne voulais pas que ma sœur me laisse seule entre nos deux parents. Je craignais l'ambiance régnant à la maison. Le cours de notre vie avait basculé et c'est bientôt notre famille qui sombrerait. Je le savais, parce que j'avais vu des papiers stipulant à mes parents d'envisager l'accompagnement en fin de vie pour ma sœur. Ils étaient dans la cuisine, mais seul le bruit des ustensiles me parvenait. Des larmes coulaient le long de mes joues, en silence.

Les minutes s'égrenaient et tout à coup, déchirant le silence, un cri de douleur surgit de la cuisine. Je n'avais même pas entendu le téléphone sonner, ni même l'un de mes parents répondre, rien que ce cri venu tout droit des enfers. Le diable en personne revenait nous faucher, il venait terminer son travail. Nous étions une banale famille catholique pratiquante, jusqu'à ce drame, qui mit entre Dieu et nous une indicible colère. Ma mère ne remit quasiment plus jamais les pieds dans une église, seulement lors de certaines occasions comme pour un mariage ou un enterrement. Mon père la suivit parce qu'il l'aimait plus que tout au monde et moi, je ne comprenais pas vraiment en quoi cela serait utile de croire en un Dieu qui nous faisait souffrir et en lequel je ne croyais déjà pas auparavant.

En entendant maman crier, j'ai bondi sur mes jambes détalant vers la porte de la cuisine. Quelques mètres la séparaient du salon, mais jamais aucune distance ne m'aura paru aussi longue à parcourir. J'aurais aimé pouvoir m'enfuir dans le sens inverse, me persuader que ce bruit ne venait que de mon imagination, mais mes jambes se sont stoppées devant l'encadrement de la porte. Fuir était l'unique mot résonnant dans tout mon être, partir très loin et m'imaginer une autre issue, celle où Agathe devenait une femme, se mariait, avait des enfants et était heureuse. Machinalement, j'avais ouvert la porte et il m'aura fallu quelques secondes pour saisir la scène qui se déroulait sous mes yeux. Son cœur aurait pu exploser sur le carrelage et la vie la quitter, il en aurait été de même. Pourtant, elle était bien vivante, ma mère, portant en elle une douleur qui n'en finirait jamais de l'écraser. Douleur qui viendrait envelopper et étouffer tout ce qui restait de notre famille.

Recroquevillée dans les bras de son époux, elle hurlait. Le monde autour d'elle n'existait plus, pas même mon père. Son dos se trouvait face à moi, je n'entendais que ses pleurs, avec pour seul pan sur cette nouvelle réalité le visage de mon père. Son regard croisa le mien. Ses yeux exprimaient une infinie tristesse, mêlée à un sentiment d'injustice. En une fraction de seconde, je compris.

Agathe venait de mourir.

Chapitre 1

Agathe sortait du cinéma de Saran accompagnée de ses deux meilleures amies Élise et Julie. Saran est une ville située à quelques minutes d'Orléans, dans le centre de la France. C'est une commune urbaine ayant une activité assez dense et attractive, en majeure partie due à sa proximité avec Orléans. Il y a également le fait qu'elle ait connu une occupation du IIe siècle jusqu'à nos jours sans interruption qui entre en jeu. Ce n'est donc pas une ville sans histoire, mais une histoire de cet acabit, ça n'arrivait jamais dans notre ville dite « tranquille », pour reprendre les mots de monsieur le maire. C'est ainsi qu'il avait catégorisé la ville après la tragédie que nous venions de vivre. Ce discours nous l'entendions tous régulièrement à la télévision, mais maintenant je saisissais à quel point ça n'avait aucun sens. Nous habitions dans cette même ville, depuis notre petite enfance.

Dans le communiqué de presse, on ne donne pas les noms de ses amies comme il n'est pas précisé qu'elle souriait, mais ce sont des éléments dont j'ai eu écho au fur et à mesure de l'enquête. Elle portait une robe, de la couleur d'un coucher de soleil, ses cheveux étaient lâchés et elle tenait un sac à main. Elle avait des sandales blanches aux pieds. Je le savais et, contrairement à tant d'autres tenues qu'elle a pu porter, celle-ci restera gravée dans mon esprit. De plus, elle m'avait demandé la veille si cette tenue conviendrait. Elle espérait, surtout, croiser

Mathieu. La presse ne le savait pas et ça ne l'intéresserait jamais. Ce n'était que des détails en plus, venant s'ajouter au tragique accident et à l'enquête déjà en cours.

Ce qui était dit, ce matin-là, dans le journal du 25 juillet 2003, c'était que, la veille, une certaine Agathe Lessieur, âgée de dix-sept ans, s'était fait renverser par un chauffard roulant au-dessus de la limitation de vitesse. Il y avait eu délit de fuite, de la part du conducteur. Ses amies étaient sous le choc et elle, elle avait été de toute urgence transportée à l'hôpital d'Orléans. Son pronostic vital était engagé. Quelques jours plus tard, au moment d'annoncer son décès, une photo d'elle allait commencer à circuler jusqu'au procès. C'était une photo prise par ma mère, au moment des résultats des épreuves anticipées de première. Elle souriait, comme à son habitude, et elle était belle sans aucun doute.

Les réseaux sociaux n'étaient pas encore présents dans nos vies, mais ça n'a pas empêché le monde de nous faire part de ses condoléances. Le monde, c'était pour moi des élèves ou des parents d'élèves ayant côtoyé le même établissement que ma sœur, des personnes habitant la même ville que nous c'est-à-dire des visages sans nom. Ça m'avait mise en colère de lire ou d'écouter sur le répondeur, durant les premières semaines qui ont suivi le drame, qu'ils prétendaient connaître Agathe et partager notre peine.

Dès que mes parents ont été prévenus de ce qui venait de se produire, nous avons pris le chemin de l'hôpital. Ils étaient livides. Le trajet s'est fait sans heurts, dans le silence. À ce stade, je ne savais pas trop quoi penser, du haut de mes treize ans. Je ne pensais pas que la situation était si grave, on s'était contenté de me dire qu'Agathe s'était fait renverser par une voiture et qu'il fallait que je les accompagne à l'hôpital. Il me semble qu'on ne leur en avait pas dit beaucoup plus, non plus. Une fois garés, nous nous sommes rendus à l'accueil. On a commencé par prendre un ticket, pour faire la queue dans la file d'attente, jusqu'à ce qu'on soit appelés à un guichet, mais nous avons été appelés en priorité, ce qui eut pour effets quelques regards en coin de personnes qui patientaient. Nous allions nous asseoir, quand une infirmière nous a dit de bien vouloir la suivre. On s'est arrêtés quelques instants, pour décliner notre nom et on nous a indiqués que nous avions rendez-vous au service de réanimation pédiatrique. La secrétaire a passé un coup de fil. Elle a fait signe à l'infirmière que nous pouvions y aller. Le médecin était prêt à nous recevoir. Quand la petite bonne femme derrière son bureau avait prononcé le mot « réanimation », mon père avait posé une main sur l'épaule de ma mère et je les avais vus se vider encore un peu plus de leur contenu. Un mot délivré par un si petit être venait de les écraser comme un éboulement de pierres.

Après avoir arpenté plusieurs couloirs, pris un ascenseur, nous sommes enfin arrivés dans l'allée avec inscrit en grosses lettres au-dessus d'une porte battante « RÉANIMATION PÉDIATRIQUE ». Une pointe d'agacement s'insinua en moi. Je me souviens m'être dit qu'ils nous prenaient vraiment pour des idiots à insister autant sur ce terme, comme si nous ne savions pas déjà ce que cela voulait dire. Le médecin nous accueillit, congédiant l'infirmière et nous serrant tour à tour la main avec un sourire qui exprimait davantage la compassion que la joie. Ensuite, il se comporta comme si seulement mes deux parents figuraient dans la pièce et étaient surtout capables de le comprendre. À partir de ce moment, peut-être est-ce égoïste, j'ai eu l'impression de ne plus tout à fait exister en tant que Lisandre mais plutôt « sœur d'Agathe ».

Il nous accompagna jusqu'à son bureau. Le dossier de ma sœur était déjà sur celui-ci. On s'est tous assis. Il l'a feuilleté, s'arrêtant à certains moments, avant de le refermer. Avec du recul, je me dis qu'il avait parfaitement connaissance de l'état d'Agathe dans les moindres détails avant que nous mettions les pieds dans ce service. Il voulait gagner du temps pour se préparer mentalement à ce qu'il allait nous dire, se répéter une dernière fois l'ordre dans lequel il allait procéder. On n'est jamais prêt, même en tant que professionnel de la santé, et j'en sais quelque chose, pour annoncer une nouvelle aussi grave à une famille.

C'était un homme, avec un peu d'embonpoint, qui ne dépassait pas le mètre soixante-dix. Il portait une alliance à l'annulaire. Ses cheveux étaient grisonnants, j'en déduisais donc qu'il devait lui-même avoir des enfants d'à peu près l'âge d'Agathe ou du mien, voire plus jeunes ou plus vieux qu'en sais-je. J'en voyais des camarades de classe avoir plutôt un père qu'une mère frôlant la soixantaine. À défaut de vivre leur douleur, il pouvait sincèrement compatir en tant que parent et savoir qu'il serait dans un désespoir similaire s'il s'agissait du sien. Il n'y avait, pourtant, dans son bureau aucune photo ou aucun dessin indiquant qu'il aurait pu avoir ne serait-ce qu'un enfant. Je m'étais dit qu'il les réservait à son casier parce qu'il ne se voyait pas accueillir des familles parfois proches de l'endeuillement, avec des photos de lui, sa femme et leurs enfants en vacances à Bali. Il ne faisait que son boulot, du mieux qu'il le pouvait. Pourtant, je lui en voulais. Le simple fait de regarder cet homme, assis calmement derrière son bureau me mettait en colère. J'avais envie de le secouer et de le forcer à cracher le morceau. Je voulais qu'il me dise que ma sœur allait bien, qu'elle n'avait que quelques égratignures et qu'elle serait bientôt de retour à la maison.

« Je ne vais pas vous annoncer de bonnes nouvelles. Cependant, sachez que votre fille est entre de bonnes mains et nous faisons tout notre possible pour qu'elle ne souffre pas. Durant le transport, du lieu de l'accident au centre hospitalier, les ambulanciers ont dû procéder à une réanimation, c'est-à-dire que le cœur avait cessé de battre et qu'il a fallu le faire repartir à l'aide d'un défibrillateur. Agathe a eu le poumon droit perforé à cause du choc provoqué par la vitesse à laquelle elle a été percutée. Elle est sous assistance respiratoire et plongée dans un coma artificiel. Elle a également plusieurs fractures, dont la plus importante reste celle de son bassin. Nous verrons pour la réduire, lorsque son état nous le permettra. Madame, Monsieur, nous ne pouvons d'ailleurs pas nous prononcer quant à l'amélioration possible de son état de santé. Nous n'avons encore aucune connaissance des dégâts neurocognitifs qu'il pourrait y avoir et il y a des risques qu'elle s'enfonce dans le coma et ne s'en réveille pas. Évidemment, il est trop tôt pour affirmer quoi que ce soit dans un sens ou dans l'autre, mais je me dois de vous faire part de toutes les éventualités possibles… »

J'ai fini par décrocher de la conversation. J'entendais mes parents pleurer, poser des questions, mais seule l'intonation de leurs voix me parvenait sans en distinguer les mots. J'en avais déjà assez entendu, pour me rendre compte de l'étendue de la gravité de la situation. Tout était blanc, trop blanc dans ce bureau. Il y avait trop de tristesse, il faisait trop lourd et j'avais besoin d'air. Je suis sortie de la pièce, sans que personne ne me remarque ou alors tout le monde avait fait comme si et on s'occuperait de mon cas, plus tard. Tout était aussi blanc et avec un aspect deux fois plus aseptisé à l'extérieur, mais au moins je n'étais plus confrontée à cette horrible réalité. Des gens déambulaient sans me voir, alors rapidement je m'étais mis en tête de retrouver Agathe. Je pensais la trouver avec plus de facilité, si personne ne m'interrompait en s'apercevant que j'étais une mineure non accompagnée. Cependant, ne la trouvant pas, je me mis à trottiner.

Une main se posa sur mon épaule et me retint. La pression n'était pas violente, mais surprenante bien que je restasse sur mes gardes, prête à ralentir l'allure, au moindre doute sur une présence humaine. Je ne l'avais pas vu venir, ayant à peine franchi une intersection. Je n'y avais aperçu personne des deux côtés du couloir. C'était silencieux, donc le moindre pas aurait dû m'alerter. Je m'étais vivement retournée et j'avais croisé le regard le plus doux et le plus bleu qu'il m'ait été donné de rencontrer. Une jeune femme, qui aurait pu être celle que je deviendrai une dizaine d'années plus tard, me souriait en me demandant où je me rendais. La même main et le même sourire que je posais sur l'épaule de la petite Elsa, vingt ans plus tard. Après un sursaut et un bafouillement inaudible, j'arrivais à prononcer :

« Je cherche la chambre d'Agathe… Agathe Lessieur. C'est ma sœur et elle est dans ce service.

— Tes parents ne sont pas avec toi ? Quel âge as-tu ?

— Ils discutent avec le médecin, de son état de santé. Euh… et, j'ai treize ans.

— Viens, je vais t'y conduire. »

Nous avions marché jusque devant une grande baie vitrée. Depuis, que nous nous étions mises en route pas un mot n'avait été prononcé, mais maintenant elle restait là comme si elle savait déjà ce que j'allais ressentir et que j'aurai besoin d'une épaule sur laquelle pouvoir m'appuyer quelques instants. J'ai tourné mon regard vers la vitre. À perte de vue, il y avait du blanc que ce soit le sol, les murs, le plafond, le mobilier, les draps… et au centre, Agathe, reposant sur le lit. Elle semblait si petite, elle qui mesurait pas loin d'un mètre soixante-quinze. Ses cheveux avaient perdu leur éclat, en l'espace de quelques heures. Un bruit attira mon attention, il se faisait régulier et provenait de l'intérieur de la chambre. Une grosse machine reposait à quelques pas du lit, plus tard, je saurais que ce à quoi elle était reliée pour la maintenir en vie était une oxygénation par membrane extra-corporelle. Les membranes à oxygénation prenaient naissance au niveau de la machine et se prolongeaient jusque dans la bouche de ma sœur.

Je ne pouvais pas la quitter des yeux. Il m'avait été difficile de la reconnaître, au début, et surtout d'accepter que ce soit elle. Il y a encore quelques heures, elle rayonnait pleine de vie et de bavardages incessants sur les copines, le maquillage, les garçons… Maintenant, elle était comme endormie et son esprit plongé je ne sais où. Le discours du médecin prenait, peu à peu, tout son sens dans mon esprit et en la regardant je me doutais qu'elle ne se réveillerait pas. Alors, une immense douleur m'a envahi, m'obligeant à me maintenir contre le rebord de la vitre. Je me sentais incapable de vivre, sans elle. Il m'était inconcevable de rentrer à la maison, sans elle. À cet instant, j'aurais voulu me faire renverser par le chauffard, à sa place. Heureusement, la jeune femme au sourire qui était une psychologue, était à mes côtés et m'a soutenue quand je me mis à basculer dans de longs sanglots. Elle me prit dans ses bras. J'appris plusieurs années après en faisant à mon tour mon cursus de psychologie, que c'était contraire au règlement tant d'élan envers un enfant ou un jeune. Il se dégagea de son être une chaleur bienveillante, le temps que je me calme. Elle me tendit un mouchoir et me dit :

« Lisandre, les évènements que tu vis n'iront pas tout de suite en s'arrangeant. Cependant, tu es une jeune fille plus solide que tu ne le penses et il faut que tu prennes soin de toi, pour ensuite devenir une femme heureuse et épanouie. Nous avons besoin de toi, ici-bas. Il est triste de ne plus rien pouvoir faire pour ta sœur, mais personne n'est coupable, que ce soient tes parents, toi ou elle, quoi que tu apprennes ne pense pas que nous l'ayons punie. Certaines choses sont indépendantes de notre volonté même à nous et je m'en excuse. Je vais te laisser, tes parents ne vont sûrement pas tarder à arriver. J'espère qu'ils sauront, eux aussi, ouvrir leur cœur pour être guéris. »

Aucun mot ne réussit à sortir de ma bouche. Je n'avais pas compris, tout ce qu'elle venait de me dire. Il me faudrait des années pour comprendre, ne serait-ce qu'une petite partie de ce mystère. Elle tourna les talons et bifurqua au bout du couloir. Mes pieds restaient de marbre et ma sœur n'avait pas bougé d'un cil. Le déroulement de ce jour et des suivants m'échappa, mais en ressortant de l'hôpital j'avais compris que je devais être forte pour mon entourage et plus particulièrement mes parents. Il m'était apparu évident que je ferais du métier de psychologue, ma vocation.

Je ne saurais dire combien de temps c'était écoulé, mais tout à coup j'ai vu ma mère se précipiter dans le couloir et mon père, tentant tant bien que mal de la suivre avec le médecin sur ses talons. Ils ne pleuraient plus, mais leurs yeux étaient rouges et bouffis. Le regard de ma mère exprimait même davantage de la colère plutôt que de la peine. Sans que je la voie venir, je reçus l'unique et mémorable gifle de ma vie. Elle se mit à me hurler dessus, ce qui fut l'une des rares fois et c'était même la première fois de toute ma vie, ce jour-là.

« Petite sotte, comment peux-tu te permettre de t'éclipser dans un instant pareil ? Tu te rends compte qu'on s'est demandé où tu étais passée. Comme si, nous n'avions pas assez de peine, il faut que tu te fiches de nous, me dit-elle en me secouant comme un prunier. Tu n'aimes donc pas assez ta sœur pour avoir un minimum de respect ? Tu aurais pu sortir dans la rue et te faire renverser comme elle, c'est ce que tu veux ? »

Mon père lui posa la main sur l'épaule, alors elle me lâcha et se réfugia dans ses bras pour se remettre à pleurer. Avec le temps, j'apprendrai à faire abstraction de son apparente indifférence et de ses volte-face émotionnelles. Pour l'instant, j'avais moi aussi envie de fondre en larmes, mais je n'allais pas me le permettre, pas devant elle. Je lui en voudrai longtemps de son comportement à mon égard. Je comprenais sa peine, mais je n'étais pas certaine qu'elle puisse comprendre la mienne. Mon père me fit comprendre qu'il serait mieux que j'aille les attendre dans la voiture. Dans la précipitation, je n'ai eu aucun regard en arrière et je n'ai jamais pu dire au revoir à Agathe.

***

Les jours qui suivirent, après l'accident et avant le décès de leur fille, mes parents ne se firent présents à la maison que lorsque c'était nécessaire. Ils mangeaient, dormaient et passaient prendre quelques affaires pour eux ou pour Agathe. Ça n'a pas empêché qu'elle nous quitte lorsqu'elle le choisit, seule, mais tous les trois ensembles. Plus tard, j'en suis venue à penser que c'était peut-être l'unique manière que ma sœur avait trouvée pour essayer de se racheter. Seulement, ce ne sont que mes propres espoirs, les rêves d'une petite fille face à la dure réalité de la vie.

Ils ont continué à subvenir à mes besoins primaires, mais je restais transparente à leurs yeux la plupart du temps. L'hôpital n'était pas une place pour une enfant, d'après eux. Alors, je tournais en rond dans la maison. Elle devenait vide et déprimante, et le resterait jusqu'à ce que je quitte le berceau familial. Mon adolescence fut partagée entre des milliards d'interdits, le cimetière et le monde extérieur si pétillant par rapport au foyer familial, ainsi que les amis avec qui déroger aux règles. Après les funérailles, mon père était venu s'excuser en son nom et celui de ma mère, de m'avoir mise de côté me disant qu'ils l'avaient fait en pensant me protéger. Il a reconnu s'être trompé, que je devais souffrir tout autant qu'eux du départ de ma sœur aînée et que j'avais dû me sentir seule durant ces quinze derniers jours.

Mon père ne parlait pas beaucoup. C'était un homme très amoureux de sa femme et complètement sous le charme de ses filles. On ressentait son amour dans ses gestes, ses attitudes, bien qu'on parlât peu de la vie ensemble. Il pensait, certainement, que maman suffisait pour nous enseigner la vie, ne voyant pas ce qu'il aurait pu ajouter. Je sais qu'il était sincère quand il me disait regretter son comportement et je ne lui en voulais en rien. Je savais que sa peine était immense, que cela ne l'empêchait pas de toujours autant m'aimer voir peut-être même davantage et qu'il n'était pas toujours facile d'être le mari de celle qui est ma mère. Depuis le drame et jusqu'à la fin de sa vie, elle s'est reposée sur lui. Il a encaissé sans rien dire. Je peine même à réaliser qu'elle lui a survécu. Nous nous sommes beaucoup aimés et soutenus, en silence.

Sous la chaleur étouffante de la canicule de 2003, le 3 août, arrivèrent les funérailles.

Chapitre 2

Je regarde le cercueil descendre dans la fosse. Il disparaît sous mon regard. Les quatre hommes qui le font coulisser jusqu'en bas remontent les cordes vides avant de se saisir de pelles et de commencer à reboucher le trou. Je ne pleure pas, mais quand bien même ça aurait été le cas personne ne le remarquerait étant donné le temps qu'il fait. La pluie et le vent sont de sortie, en adéquation avec mon cœur. Il y a ma mère, dans mes bras, agrippée à mes épaules, qui pleure tout en collant son visage à un mouchoir déjà poisseux. Elle porte la même tenue sombre qu'il y a vingt ans. Mes grands-parents se situent de l'autre côté, en face de nous. Il y a ses deux frères, quelques cousins dont il était proche et des amis de longue date, du moins ceux qui sont restés malgré les aléas de la vie.

Nous enterrons mon père, le meilleur être qu'il m'a été donné de connaître. Il aurait eu soixante-trois ans le mois prochain et à la fin de l'année prochaine, il serait parti à la retraite. Il ne connaîtra pas de repos dans cette vie-là. Mon père n'a toujours vécu que pour sa famille, la tenant à bout de bras lorsqu'elle s'effondrait. C'était un homme discret, qui s'en va comme il était venu, dans le silence. Pour ses funérailles, avec maman nous nous étions mises d'accord – pour une fois – qu'à son image la cérémonie aurait lieu en petit comité que ce soit à l'église ou au moment de l'inhumation. Ça m'était égal, puisqu'il ne serait pas présent, mais ma mère tenait à organiser un service commémoratif à la maison. Elle avait tout prévu, avant même de me faire part de son idée, le traiteur, les fleurs, la décoration et sans oublier de ressortir un tas de vieilles photos qui ont plus de vingt ans.

Mon père avait cessé de se rendre tous les dimanches à l'église, parce que c'était la décision qu'avait prise ma mère. Il y avait aussi stoppé ses réunions avec l'équipe du rosaire et il avait peu à peu perdu contact avec ses amis de la paroisse. Pourtant, la foi était le rocher de sa vie. D'ailleurs, je ne pense pas non plus que ma mère ait cessé de croire, mais elle est arrivée à saturation du message de l'Église catholique à la suite de la disparition d'Agathe. On lui vendait un Dieu qui ne connaît pas l'impossible, qui n'est qu'amour et miséricorde, mais sa fille venait quand même de mourir. Elle entendait déjà aussi venir les mots qui se voulaient réconfortants de ses amies, mais qui auraient eu le don de l'agacer. Seulement, elle avait imposé son choix à papa. Bien qu'elle ait tout de même tenu à ce qu'il puisse bénéficier d'une cérémonie religieuse.

Deux jours avant la cérémonie, tout était déjà prêt. Il ne manquait plus que le traiteur, qui passerait dans la matinée juste avant que nous nous rendions à l'église. Elle s'affairait sans relâche. Proposer mon aide aurait été inutile, il valait mieux lui laisser tout contrôler pour éviter un drame. Depuis l'annonce du cancer du pancréas de mon père, il y a neuf mois, elle avait pris tant bien que mal sur elle. Elle ne s'était jamais remise du décès d'Agathe, mais papa avait été son point de repère. Avant que mon père s'en aille, il m'a demandé de prendre soin de sa femme et il a ajouté qu'il aimerait beaucoup que les deux femmes de sa vie fassent la paix. Évidemment que j'avais été en colère contre ma mère. Maintenant, j'avais surtout de la peine pour la femme qu'elle était devenue.

« Ma chérie, excuse-moi, mais la femme qui te sert de mère et malgré moi a servi d'épouse à mon défunt fils m'exaspère. Ce n'est pas nouveau, mais elle dépasse les bornes avec cette grande réception sur mesure. Il s'agit d'un enterrement, pas d'une célébration de mariage. En plus, nous ne sommes pas plus de dix. Je sais très bien ce qu'en aurait pensé ton père, il aurait trouvé que c'était de l'argent dépensé inutilement et il n'aurait pas eu tort.

— Je sais, Mamie, mais elle ne pensait pas à mal. Elle voulait lui rendre un hommage digne de sa personne et certainement pas t'offenser.

— Comment va-t-elle faire pour vivre, maintenant ? Je te rappelle que c'était ton père qui ramenait à manger dans vos assiettes et maintenant elle utilise cet argent pour inviter des personnes à festoyer sur le dos de ton père. Je te parie que là-dedans, il y a l'un de ses amants. Elle n'est pas la seule à avoir perdu un enfant, mon fils aussi. Je te l'ai déjà dit, mais il y a plus de cinquante ans, j'ai perdu moi-même un bébé de quelques mois. Mon petit Jean me manque chaque jour que Dieu fait, mais je ne me suis pas arrêté de vivre pour autant. Je n'ai pas tout laissé reposer sur les épaules de ton grand-père, je suis retournée à l'usine dès le lendemain des funérailles et mes trois autres enfants avaient besoin d'une mère.

— Annie, qu'est-ce que tu lui dis encore à notre petiote ? Laisse-la respirer, elle vient de perdre son père. Je suis désolée, Lisandre, du comportement que ta grand-mère peut avoir en société. Elle n'a jamais su tenir sa langue dans sa poche et faire preuve d'un peu de respect, notamment envers ta mère, dit mon grand-père en l'attirant vers le buffet.

— Lisandre, le jour où tu auras des enfants tu comprendras mon point de vue. »

Mamie, papi, deux êtres si différents et pourtant tellement complémentaires. Mon père n'avait hérité du caractère d'aucun des deux. Je ne sais pas, qui dans la famille aurait pu avoir tendance à être introverti et tourné vers son prochain, sans jamais porter de jugement sur ceux qu'il aidait. Je n'en avais jamais fait part à quiconque si ce n'est mon père, mais je n'étais pas sans partager l'avis de ma grand-mère. Enfin, en ce qui concerne les enfants, ça fait déjà quelques années que l'on me demande si j'ai quelqu'un et quand est-ce que je compte avoir des enfants car mon horloge biologique tourne et que je risque de le regretter, plus tard, etc. Toujours la même rengaine. La seule qui ne me pose aucune question à ce sujet, c'est bien ma mère et je l'en remercie. Quant aux inimitiés entre ma grand-mère et sa belle-fille, elles existaient bien avant ma naissance.

Je pouvais me révéler être bavarde, mais aujourd'hui, je n'ai pas très envie de papoter avec quiconque et si ce n'est mes grands-parents, le reste des invités me sont peu familiers voir les trois quarts inconnus. Je pose simplement des visages sur des noms, que j'ai pu entendre lors de discussions entre mes parents. Il y a bien un ami de longue date de mon père, devenu aussi celui de ma mère que je reconnais. Peut-être bien, son plus vieil ami, le seul véritable qu'il ait dû garder jusqu'à sa mort. Je le connais, un peu, il lui était arrivé de passer à la maison et de rester y dîner. Je sais qu'il est divorcé et sans enfant. Dès qu'il passait à la maison, il prenait le temps de jouer avec ma sœur et moi, ayant toujours un présent à nous offrir. La famille avait même été très proche de lui, nous l'appelions « tonton Alain », et ce même après la mort d'Agathe. Pourtant, il a fini par disparaître de ma vie, pour réapparaître, aujourd'hui. Il me sourit à l'autre bout de la salle. Un autre homme discute avec lui. Je le salue de loin et m'en vais à la cuisine.

J'y retrouve ma mère et ma grand-mère en train de se quereller. Maman est au bord des larmes et Mamie en train de lui remettre tous les malheurs de cette famille sur le dos, ainsi que le décès de son fils. Aucune n'est jamais capable de mettre de l'eau dans son vin. Je me décide à intervenir, n'ayant pas très envie d'un scandale, en ce jour.

« Vous n'avez donc pas honte de vous comporter de la sorte, l'une comme l'autre ? Vous manquez de respect à un homme en agissant ainsi, et de cet homme nous en sommes les trois plus proches parentes. Nous sommes, également, les seules femmes à cette cérémonie. Alors, vous allez dégager le plancher de cette cuisine et retourner faire bonne impression auprès des invités, les ai-je sermonnés. »

Plus aucun son n'était émis des deux côtés. Seul, le bruit du salon nous parvenait. Ma grand-mère, me lança un regard furieux, tourna les talons et claqua la porte qui séparait la cuisine du salon. C'était sa manière à elle, de nous signifier son mécontentement d'être traitée de la sorte. Ma mère, quant à elle, se retourna vers l'évier en essuyant du revers de sa manche les larmes qui malgré elle avaient surgi et repris là où elle avait laissé l'essuyage de la vaisselle. Je n'ai pas réellement eu envie ni l'intention de parler, mais avant que je puisse les retenir, les mots sont sortis.

« On se croirait, vingt ans en arrière. Vous vous querelliez, déjà, de la sorte et ce sont pour les mêmes raisons. Seulement, c'était papa qui y mettait un terme et arrondissait les angles. Je n'ai pas sa patience, maman », dis-je.

Elle s'était arrêtée pour me fixer, tout en m'écoutant. Je n'ai aucune idée de ce qu'elle peut ressentir, à cet instant. Son regard n'exprime pas grand-chose, si ce n'est de la tristesse et de la fatigue. J'aurais aimé, tellement aimé, à une époque me jeter à ses pieds et la supplier de me dire comment je pourrais l'aider à sortir de cette torpeur. Combien de fois durant mon adolescence, je m'étais blottie dans ses bras ou menacée de me suicider dans l'attente d'une réaction. C'est à peine, si elle m'avait effleuré le dos d'une caresse, quelques fois, et j'avais eu droit à un sermon quant au fait de vouloir m'ôter la vie. Maintenant, je me contentais de lui dire ce que je pensais et ressentais, sans effusion de ma part.

« Je t'aime, Maman. On a du mal à se comprendre et je t'en ai voulu, pour pas mal de choses, mais je ne vais pas te laisser toute seule, ici. Je viendrais passer les week-ends avec toi, si tu veux, et n'hésite pas à m'appeler dès que tu as besoin d'aide, lui dis-je en déposant un baiser sur son front.

— C'est gentil, Lisandre, mais tu dois avoir mieux à faire que venir t'enfermer ici avec ta vieille mère exécrable. »

Je crois que c'était sa manière à elle, de me dire de vivre.

Chapitre 3

Nous étouffions, déjà, dans la voiture comme si elle était restée garée en plein soleil toute l'après-midi. Seulement, il était à peine huit heures trente du matin. Je me sentais moite des pieds à la tête. C'était une sensation très désagréable. Ça me faisait l'effet, de ne pas m'être séchée correctement en sortant de la douche et d'avoir enfilé mes vêtements, encore mouillée. Ma robe me collait dans le dos et le bouton du col me serrait la gorge. Je sentais que mon front n'allait pas tarder, lui aussi, à perler de sueur. Le noir n'était pas non plus la couleur idéale à porter, en période de canicule, mais ma mère tenait à ce que tout invité respecte la couleur du deuil. Je pense qu'il en allait de ses traditions d'éducation judéo-chrétienne. Mon père m'avait chiné des ballerines, tout aussi noires, pour aller avec ma tenue. J'avais horreur des ballerines, il le savait. Ça me grossissait les pieds, encore plus, qu'ils ne l'étaient déjà. Agathe les aurait bien mieux portés que moi.

À treize ans, j'étais une petite brune avec de bonnes joues. D'ailleurs, il n'y avait pas que les joues qui étaient rondes. J'avais des petits bras et des petites jambes potelées, qui me valaient quelques brimades depuis l'école primaire. Ce à quoi les mères trouvent du charme à leur bambin qui fait ses premiers pas en société devient vite une gêne dès l'entrée au CP. Je n'étais pas seule et sans ami, à être un souffre-douleur pour les autres élèves, mais on m'avait déjà « gentiment » rappelé ma corpulence et maintenant, s'ajoutait un début d'acné. J'étais courte sur pattes et ma taille définitive pointait le bout de son nez, à quelques centimètres près. Je portais, la plupart du temps, une queue-de-cheval car mes cheveux n'en finissaient pas de graisser. Sauf, ce matin-là, où ma mère me les avait coiffés et pour les retenir y avait glissé un nœud papillon noir, sur les mèches du devant.

Sur le chemin du funérarium, je me sentais à l'étroit dans la voiture. C'était la première fois que je me retrouvais à nouveau seule à l'arrière, que je montais tout court dans cette voiture, depuis que nous avions été tous les trois à l'hôpital le jour de l'accident. Le trajet fut silencieux. Mon père conduisait et ma mère était assise sur le siège passager. Ils étaient habillés d'un costume et d'une longue robe droite noire et blanche. Le col blanc de la chemise de papa, dépassant de sa veste, coupait avec le reste de la couleur de son costume. Nous nous rendions à la mise en bière du corps, une heure avant la cérémonie qui avait lieu à dix heures avec le reste des invités. Pas même mes grands-parents n'avaient été conviés pour revoir une dernière fois leur petite fille, nous n'y étions que tous les trois. Arrivant légèrement en avance, nous avons attendu quelques minutes dans l'entrée, le temps que l'on vienne nous chercher.

Il y avait des sièges, une table ornée de fleurs, comme une salle d'attente. Un monsieur, dans un costard cravate, nous souriait de temps à autre derrière le comptoir de l'accueil. Je me souviens m'être demandé s'il se contentait d'effectuer son travail ou s'il ressentait de la compassion à notre égard. J'avais pris place dans l'un des fauteuils, cachant tant bien que mal mes pieds dans les ballerines sous le siège, tandis que mes parents ne pouvaient s'empêcher de faire des allers et retours. Ils étaient nerveux, je l'étais aussi et triste à en mourir, bien que je ne le leur montrasse pas. Je parle de mes complexes, du trajet, de l'attente, des détails, mais n'allez pas croire que la mort d'Agathe arrivait au second plan. Elle ne quittait pas mes pensées une seule minute, tous nos souvenirs m'assaillaient. Seulement, durant cette période autour de son décès, tout me parut accentué, tous les détails me sautaient aux yeux. Chaque petit élément m'assaillait. Quasiment tout, allait de plus en plus me faire penser à elle et son absence. Cependant, j'avais treize ans et ce n'était pas ma fille, je ne l'avais pas mise au monde, alors ma vie aurait dû reprendre son cours. Ma jeune vie d'adolescente n'aurait pas dû tourner autour de celle de ma sœur, morte.

Je me revoyais assise sur mon lit, des larmes coulant sur mes joues. Je me sentais grosse et moche, ce qu'une autre fille de sixième n'oubliait pas de me rappeler en me nommant « Peggy la cochonne ». Ma grande sœur était venue s'agenouiller devant moi et relevant ma tête elle m'avait dit :

« Lisandre, c'est encore cette fille qui t'embête ? Ça n'arrivera plus, d'accord. Personne n'a le droit de te brimer et de t'infliger une quelconque humiliation. Tu vaux mieux qu'eux tous réunis. La prochaine fois qu'elle revient te chercher des ennuis, ou que qui ce soit se le permet, viens tout de suite m'en parler. »

J'étais plongée dans ce souvenir, au moment, où une voix nous appela pour venir dire au revoir au corps de cette jeune fille que je revoyais prendre ma défense, ma sœur, mon modèle. Laura ne revint plus jamais m'embêter après qu'Agathe m'ait dit qu'elle réglerait le souci. Plus tard, ce qui viendrait bien assez vite, je repenserai à cet épisode de ma vie sous un tout autre angle. À ce moment-là, mon père s'évertuait à prononcer mon prénom en vain avant que je daigne réagir.

J'aurais préféré ne pas assister à ce qui allait suivre. Le terme de mise en bière ne me parlait que vaguement, lorsqu'une vieille grande tante était morte quand j'avais neuf ans. Agathe et moi avions juste été à la cérémonie, mais mes parents s'étaient rendus à la mise en bière. Cette femme avait fait partie intégrante de l'enfance de mon père, pour notre part nous l'avions peu connue mais elle avait toujours été très gentille avec nous. Elle disait à mon père qu'il avait les deux plus gentilles et jolies petites filles qu'elle ait connues, nous donnant des gâteaux et des sucreries les quelques fois où nous lui avions rendu visite. Elle appréciait aussi ma mère, concédant que mon père avait fait un très bon choix en prenant Esther pour épouse. Il est vrai qu'elles avaient toutes les deux de l'élégance et du goût pour leurs toilettes, là-dessus ma mère m'a toujours semblé sortir du milieu du siècle précédent. Elles discutaient de mode et d'éducation, ayant elle-même eu cinq enfants, qui se sont fait une place confortable dans la société.

J'avais rencontré ses enfants et petits-enfants, à son enterrement. J'avais joué avec quelques bambins de mon âge, qui n'avait vu que deux ou trois fois leur grand-mère au cours de leur vie. Qu'ils soient présents ou pas ne changeait pas grand-chose pour eux. Je la connaissais presque davantage qu'eux. Elle avait élevé deux garçons et trois filles, qui avaient tous fait de brillantes études, s'éparpillant aux quatre coins du monde. Ils téléphonaient à leur mère, deux-trois fois par an et ne venaient la voir qu'une fois tous les deux ans, en moyenne pour les trois quarts. Leur père était mort, d'un accident de la route dans l'exercice de son métier de routier, quand l'aîné avait douze ans et le dernier un an et demi. Son mari ne revenait que les week-ends, elle avait donc déjà l'habitude de gérer tout, toute seule en semaine. Cela étant, je ne sais pas quelle mère elle avait pu être, mais elle était assurément une grand-mère qui devait aimer et choyer ses petits-enfants, même de loin.

Après l'enterrement, j'avais demandé à mon père ce qu'était une mise en bière. Il m'avait dit, avec des mots qu'une enfant de neuf ans est capable de comprendre, qu'il s'agissait du moment où l'on plaçait le corps du défunt dans le cercueil et que l'on disposait le cercueil ouvert dans une pièce qui y était dédiée. Ainsi, avant la cérémonie les proches pouvaient venir se recueillir et dire au revoir à l'enveloppe terrestre. Je m'étais imaginé un corps, enveloppé de roses, qui semblait dormir paisiblement.

La mise en bière a pour obligation de se tenir dans un funérarium en cas de décès sur la voie publique. Les derniers soins y sont prodigués, le moment de recueillement y a lieu et la cérémonie se déroule à proximité. Nous sommes entrés dans une pièce ayant un faible éclairage. Il m'avait fallu quelques secondes pour m'habituer à l'obscurité et entrevoir la pièce dans laquelle nous étions. Cela me rappelait l'hôpital, avec tout ce blanc qui nous tournait autour. Pour ne pas dire qu'il nous aspirait, qu'il nous vidait de toute substance. Quelques chaises étaient disposées, ainsi qu'une poubelle dans un coin de la pièce. Devant nous se tenait une large baie vitrée dont nous nous sommes approchés. Je ne me sentais pas très à l'aise et cette fois, bien qu'il fasse plus frais qu'à l'extérieur, de la sueur perlait sur mon front.

Je pris place aux côtés de mes parents quand une lumière m'éblouit. Elle venait de l'autre côté. Un homme était rentré dans la pièce et nous énonça tout ce qui avait déjà été effectué sur le corps. Je compris que c'était toute une partie de la mise en bière, à laquelle il était déconseillé à la famille d'assister. Je n'avais pas compris tous les termes techniques qu'il avait employés, mais j'avais saisi l'ensemble des informations. Il tira la « table roulante » se trouvant sur sa gauche. Un drap blanc la recouvrait. Un deuxième homme fit irruption, tirant le même engin, mais avec cette fois ci, dessus le cercueil blanc que mes parents avaient choisi pour l'inhumation d'Agathe. Dessous, un linge blanc recouvrait la table pour rendre le tout plus esthétique. Son cercueil était majoritairement blanc, mais les bordures étaient rose pâle comme la croix figurant en relief sur le dessus. Les poignées, qui permettraient le transport du cercueil de la chapelle au cimetière, étaient dorées. Ils avaient su retrouver l'univers de leur fille, à défaut d'avoir eu de sa part des indications précises sur ses dernières intentions.

Le drap fut retiré, progressivement. Du moins, ça m'a paru durer une éternité. Sa peau était encore plus blanche que d'ordinaire. Je revoyais ses cheveux qui me paraissaient ternes à l'hôpital. Ce n'était rien comparé à aujourd'hui. Ils donnaient l'impression de ne plus être rattachés à son cuir chevelu. Elle était tellement maigre. Son visage était quasiment méconnaissable. On ne m'aurait pas dit qu'il s'agissait d'Agathe, je ne l'aurais pas reconnu à la distance à laquelle je me trouvais. L'un des deux hommes portait des vêtements pliés sur le plat de ses mains. Il se trouvait que le corps de ma sœur portait des sous-vêtements et que nous allions assister à l'habillage de la défunte et au maquillage, pour la rendre plus présentable. Jusqu'ici, j'avais fixé son visage. Lorsque mes yeux réussirent à se poser sur le reste de son corps, j'eus un haut-le-cœur. Il était parsemé d'ecchymoses. Des points de suture, démarrant de son bas-ventre jusqu'au milieu de sa poitrine traversaient son buste. Cette vue d'ensemble en était trop pour moi. J'avais vivement détourné le regard et m'étais précipité sur la poubelle se trouvant aux pieds de la table. J'y avais vomi mes tripes.

J'étais sortie en trombe de la pièce, traversant le couloir à toute vitesse. Au passage, j'avais bousculé deux, trois personnes du personnel qui s'engageaient dans le sens inverse du mien. Ils se retournèrent pour me regarder m'éloigner, sans plus y prêter attention que cela. Je ne suis pas certaine que mes excuses fussent compréhensibles. Une fois à l'air libre, j'ai vomi une seconde fois, dans un arbuste longeant le funérarium. Des larmes coulant le long de mes joues se transformèrent en sanglots. Agathe était morte et c'était devenu réel. Je l'avais vu inanimé sur cette table, dans un piteux état. Sa poitrine ne se soulevait pas, contrairement à la fois où je l'avais vu derrière une autre baie vitrée et elle était ce que l'on disait être, d'une blancheur cadavérique.

Je m'étais assise par terre, sur le goudron du parking, me prenant la tête entre les mains. J'en profitais d'être seule pour me mettre à hurler devant tant d'injustice apparente. Ma douleur était si forte, que je ne pouvais continuer de la contenir en moi. Plus jamais, je n'entendrais son rire, les confidences qu'elle me faisait, les conseils qu'elle me donnait. Elle n'allait plus jamais rentrer dans sa chambre, s'asseoir à table avec nous et l'été, s'allonger sur l'un des transats dans le jardin avec sur le nez ses lunettes de soleil, pour bronzer, tout en lisant un Biba magazine. Agathe ne pourrait plus grandir et jamais elle ne vieillirait. Jamais, elle n'aurait l'occasion de dire ses sentiments à Matthieu et de choisir son université, en fonction de la sienne. Tout choix lui était désormais interdit, le moindre plaisir de la vie. Tous ses rêves n'avaient plus lieu d'être. Elle n'en avait plus, puisqu'elle ne pensait plus. Il fallait que je me contente de l'accepter, sans broncher.

Je me suis relevée quand les voitures des premiers invités se sont garées et que mes parents sont ressortis pour se placer à l'entrée, accueillir et recevoir les condoléances de leurs proches. Personne ne devait me voir dans cet état, surtout pas mes parents. De toute façon, ma mère était tellement absorbée par son chagrin et mon père par celui de ma mère, qu'ils ne remarquèrent pas mes yeux rougis. Ou, comme tout ce qui allait suivre, firent comme-ci de rien était. Dans cette famille, nier avait toujours été beaucoup plus simple que toute autre option. Sauf, ma grand-mère qui ne rate pas une seule occasion de dire haut et fort ce qu'elle pense. Ce jour-là, elle et mon grand-père furent les premiers à arriver. Papi étreignit son fils et sa belle-fille, tandis que Mamie fit un monologue et prit à plusieurs reprises mon père dans ses bras. Quant à ma mère, elle la regarda, lui présenta ses condoléances ni plus ni moins.

Oncles, tantes, cousins, cousines, amis de toute époque de ma sœur se succédaient. J'ai fini par les rejoindre, et au moins saluer chacun, même si le cœur n'y était pas. À défaut de voir ma peine, maman avait remarqué mon absence. Elle ne me le dirait pas tout de suite, mais après l'enterrement quand nous serons rentrés à la maison et qu'elle aurait retrouvé un minimum de ses esprits. Ils venaient se recueillir auprès du corps, avant la cérémonie et la mise en terre. Tous n'étaient pas présents, certains se contenteraient des deux dernières étapes. Je les comprenais et je n'en étais pas mécontente, parce que je trouvais cela malsain que de la famille éloignée ou des amis qu'elle n'avait pas vus depuis le collège y participent. C'était de la curiosité mal placée, selon moi.

J'aurais pu retourner la voir, dans la robe que mes parents lui avaient choisie. Toute peignée, maquillée et étendue dans son cercueil, pour son dernier voyage. Pourtant, je ne le souhaitais pas. J'en avais assez vu et je n'avais pas besoin de vérifier une dernière fois, si ce qui se produisait était réel. Agathe est morte à dix-sept ans, c'était ma sœur aînée, fauchée en pleine jeunesse et il n'y a que cette dimension de la vie possible. Je ne pense pas, qu'il y ait un paradis ou même un enfer. Il y a des vivants et des morts, et notre univers ne s'adresse qu'aux premiers. On m'avait baratinée toute mon enfance, sur un Dieu auquel je ne croyais plus depuis l'âge de six ans. Je l'ai relayé au même rang que le père Noël et le lapin de Pâques.

Contrairement à l'enterrement de mon père bien des années plus tard, celui d'Agathe ne se fit pas dans une église mais une chapelle adjacente au funérarium. Un prêtre est venu présider la cérémonie, avec à ses côtés une bonne sœur, qui ne semblait pas avoir plus d'un début de vingtaine. Je n'ai plus aucune idée de la voix du prêtre, ni de son visage et de ce qu'il a dit, mais la sœur je me souviens d'elle comme si notre conversation remontait à hier.

Quand nous sommes entrés dans la chapelle, le cercueil se trouvait déjà au fond en son centre, cette fois-ci fermé. Il était juste devant le pupitre, où plusieurs personnes prendraient la parole. Ma mère ne put s'empêcher de pleurer tout au long de la cérémonie. Mon père s'adressa à l'assemblée, en leur nom à tous deux. Tout d'abord, ils allumèrent les bougies se situant aux deux extrémités du cercueil, la lumière étant le symbole de l'espérance chrétienne. À mes yeux, il n'y avait plus rien à espérer pour ma grande sœur. Ensuite, le prêtre ouvrit le temps de prière. Le temps de prière se composait de trois parties et entre chacune d'elles des laïcs prenaient la parole, en mémoire de ma sœur. Quand vint mon tour, je mis un temps fou à réussir à sortir de ma poche quelques lignes que j'avais écrites sur un bout de papier.

J'aurais voulu écrire quelque chose de plus consistant et de plus profond, mais au fil des jours l'inspiration ne m'était pas venue. Je n'avais pas réussi à exprimer ce que je ressentais pour Agathe, le vide qu'elle laissait dans ma vie et tout ce que je croyais qu'elle était. Le morceau de papier avait été plié et replié dans tous les sens. J'ai eu de la chance qu'il soit encore lisible. Posant la feuille sur le pupitre et tendant ma nuque vers le micro, je tremblais et une bouffée de chaleur me montait au visage.

« Agathe a toujours été là pour moi. Parce que, c'est ma sœur me direz-vous. Pas seulement, parce qu'elle était gentille et bienveillante envers nous tous. Elle me faisait rire, quand j'avais envie de pleurer. Elle me protégeait, quand je rencontrais des difficultés au collège. Je suis certaine qu'elle en a fait de même ou si elle n'en a pas eu l'occasion, aurait fait de même pour vous. Elle me manque, comme personne ne m'avait jamais manqué et ne me manquera jamais. Je vais devoir grandir sans elle, alors si quelque part se trouve un paradis j'espère que depuis là-haut elle me suivra, elle nous suivra tous. »

Ma voix tremblait. J'avais buté sur des mots. Je ne pensais pas une partie de ce que je venais de dire. Il me semblait que mon texte n'était pas à la hauteur des adieux que je me devais de faire, à ma sœur. De plus, en reculant je m'étais heurté à la bonne sœur qui accompagnait le prêtre. Elle m'avait retenue par le coude, de sa main. Je m'étais excusée en bafouillant et en rougissant de plus belle. Je suis alors précipitamment retournée m'asseoir. Les pleurs de ma mère emplissaient toute la salle. La cérémonie a continué enchaînant les discours et le temps de prière.

Je n'aurais jamais dû avoir le temps d'entamer une discussion avec la sœur, mais au moment de se rendre au cimetière, à quelques mètres de là, le fossoyeur devait régler quelques détails avant l'inhumation. Il y avait eu un contretemps. Nous nous retrouvions tous un peu à nous regarder dans le blanc des yeux, sans trop savoir quoi se dire les uns aux autres. Parler du temps, revenait à insulter son voisin d'aveugle et le moment était mal choisi pour raconter sa vie à quelqu'un qu'on n'aurait pas vu depuis quelque temps. C'est à ce moment-là que Sœur Marie se décida à s'avancer vers moi.

« Bonjour, Lisandre, c'est bien ça ?

— Oui… mais… comment le savez-vous ?

— J'ai échangé quelques mots avec votre père avant la cérémonie. Il m'a principalement parlé de vous, de votre imagination débordante et du fait que vous êtes l'être qui continue de lui donner foi en Dieu.

— D'accord. Et vous, votre nom ?

— Je suis Sœur Marie. Évidemment, même si ça aurait pu, ce n'est pas mon nom de naissance. Sœur Marie, depuis un peu plus de trois ans, maintenant, me dit-elle et à ce moment j'hésitais à tourner les talons quand elle reprit la parole. Votre prise de parole était très touchante.

— Mouais, lui dis-je. Et sinon, vous êtes certaine que mon père a dit cela par rapport à la foi et à moi, ou je ne sais plus trop quoi, mais il s'agissait de quelque chose comme quoi j'étais liée à sa foi en Dieu.

— Oui, c'est exact, il a dit qu'il voyait en vous l'une des créations de notre Seigneur. Quant à votre discours, je le dis très sérieusement, bon peut-être aussi un peu plus facilement parce que vous êtes la sœur de la défunte. Cependant, vous savez manier les tournures de phrases. Aimez-vous écrire ?

— Oui, dis-je, un peu plus curieuse quant à l'axe que prenait cette conversation.

— Je m'en doutais bien. Moi aussi, j'aime écrire durant mon temps libre, mais je n'écris pas aussi bien que vous et c'est toujours pour louer la gloire de Dieu. Ça ne me déplaît pas, mais j'aime également beaucoup les polars. Vous devriez développer cette passion et ce don que Dieu vous a donnés, Lisandre. Vous avez de la poussière d'or d'ange, entre les doigts, dit-elle en commençant à me passer devant pour se rendre vers le prêtre qui lui faisait signe de le rejoindre. À une prochaine fois, peut-être. »

Je ne savais pas trop quoi penser de cette discussion, mais cela me perturbait qu'elle semble trouver la mort aussi naturelle, surtout celle d'une aussi jeune fille. Du moins, elle n'avait semblé n'exprimer aucune compassion et n'avait aucun commentaire sur le jeune âge qu'avait ma sœur à sa mort. Peut-être qu'avoir une foi aveugle en Christ rendait immunisé contre ces choses-là. De plus, je ne me trouvais pas de talent particulier dans l'écriture. Elle était à l'ouest la bonne sœur, me suis-je dit.

La procession jusqu'au cimetière s'était effectuée dans le silence. Mon père faisait partie des hommes ayant porté le cercueil jusqu'à la fosse. Il faisait une chaleur étouffante, en cette première matinée de canicule et ça n'irait pas en s'arrangeant avant une quinzaine de jours. Le trajet était court, il suffisait de sortir de l'église, de traverser le passage piéton et de se rendre à l'endroit où ma sœur allait reposer. C'est l'église et le cimetière même de la ville où habitent mes parents. Au début, je m'y rendais plusieurs fois par semaine. J'ai fini par ne plus m'y rendre durant plusieurs mois, avant d'y retourner de temps en temps pour être en paix avec ma propre conscience. Maintenant, je m'y rends au moins une à deux fois dans le mois. Mes parents s'y rendaient, toujours, plusieurs fois par semaine ensemble et ma mère seule, tous les jours. Pas un jour ne passe, sans qu'elle aille rendre visite à Agathe.

Le trou creusé, il ne restait plus qu'à y descendre le cercueil. Les pleurs de maman ont redoublé lorsque les pelles ont commencé à reboucher le trou jusqu'à former une butte au-dessus de la surface du sol. Des personnes avaient commencé à partir, une fois que le prêtre avait refermé sa bible et que les premiers coups de pelles avaient été donnés. Avec mes parents, nous sommes restés jusqu'au bout. C'était normal, mais dans mon esprit il l'était moins de sentir que ma mère aurait préféré pouvoir sauter dans ce trou de l'autre côté avec sa fille aînée, plutôt que de continuer à vivre pour son mari et son autre enfant.

Je ne me souviens pas comment mon père a réussi à faire accepter à sa femme de monter dans la voiture pour rentrer à la maison se reposer. Le trajet s'était effectué comme celui de l'aller, sans bruit. Arrivés chez nous, sans un regard pour personne, ma mère est montée à l'étage se coucher. Mon père l'a suivi pour l'aider et vérifier si elle n'avait besoin de rien, auquel cas je sais qu'il lui aurait apporté. J'attendais, je ne sais trop quoi sans trop savoir où aller maintenant qu'il fallait attendre l'ouverture du procès qui n'aurait lieu que deux années plus tard, devant les escaliers. La tête de mon père apparut par-dessus la balustrade. Il me sourit, d'un sourire fatigué qui disait je t'aime ma fille, va te reposer. Alors, je suis à mon tour montée à l'étage.

Chapitre 4

Mes parents ont tous les deux étés élevés dans une famille catholique pratiquante. Cependant, leur éducation fut à bien des égards différents. Esther, ma mère, reçut une éducation rigide dans la crainte de Dieu. À la moindre incartade, de sa part ou de celle de son frère, on les menaçait d'une punition venue d'en haut qui allait s'abattre sur eux. Évidemment, la mère de maman voyait de mauvaises actions là où moi je n'en verrais jamais. Le fait de sortir seule avec un garçon ou de mettre une tenue un peu trop déshabillée – d'après ses critères – était perçu comme blasphématoire. Tandis, que chez mes grands-parents paternels Dieu est responsable de toutes les bonnes grâces et le diable est l'esprit malin qui l'est de nos malheurs. Père et Mère ont grandi tous deux nourris au sein même de la foi dès leur plus jeune âge, mais dans deux milieux de vie très différents.

Je connais très peu la famille du côté maternel, ainsi que la vie de ma mère avant de rencontrer mon père. Je sais que ses parents étaient sévères et peu enclins à des gestes de tendresse. Quant à son frère, il a déserté la maison familiale dès que sa situation le lui a permis et a coupé les ponts avec ses parents ainsi que sa petite sœur. On m'a raconté que, lorsque mes parents se sont rencontrés, ma mère était très timide et avait peu d'estime pour sa personne. Elle était, souvent, habillée dans des couleurs sombres et ternes. Elle avait tendance à regarder ses pieds quand elle marchait, à ne pas regarder les gens dans les yeux quand ils lui parlaient. On ne va jamais, totalement, à l'encontre de ce avec quoi l'on s'est construit, mais mon père a su lui montrer d'autres facettes de la foi catholique et lui faire adopter la majeure partie de ses idées. Je crois, qu'il lui a surtout montré combien son Dieu a lieu était amour et qu'il n'y avait que celui-là qui pouvait véritablement exister. Aujourd'hui, étant devenue moi-même adulte, je comprends que ma mère a subi des dommages psychologiques de la part de ses propres parents. Ils avaient une emprise sur elle, ils l'avaient fait se sentir moins que rien et lui avaient tourné le dos dès qu'elle s'était mise avec mon père.

On grandit tous, plus ou moins, avec une certaine envie de plaire à ses parents. Du moins, je crois que c'est le cas pour une bonne partie des gens sur cette terre, pour moi-même ce fut longtemps l'un de mes principaux objectifs. Seulement, ma mère avait eu beau toujours vouloir plaire à ses parents, jamais ils n'étaient satisfaits, jamais un mot de tendresse ou d'encouragement. Tout cela, évidemment, je le tenais de mon père lorsque quelques fois il me racontait l'atmosphère dans laquelle avait grandi maman lorsque je me plaignais d'elle ou de choses mineures qui avaient trait à notre famille. Il voulait me montrer la chance que j'avais contrairement à elle de grandir en sécurité dans un foyer aimant et il espérait, certainement, qu'une fois sachant cela je fus plus tendre avec elle. Évidemment, ces épisodes se situaient après le décès d'Agathe, avant cela je n'étais pas aussi vindicative. Cela partait d'un bon sentiment, mais ça me mettait encore plus en colère, car on minimisait ma souffrance. Ma mère avait tous les droits étant donné son passé, tandis que je n'avais jamais le droit de me plaindre puisque j'avais tout pour être heureuse, apparemment.

Aussi loin que je me souvienne, mes parents m'ont toujours parlé de leur foi. Ils ont essayé de me la transmettre. Je ne m'y suis jamais retrouvé, même dans ma petite enfance. Pourtant, les discussions à ce sujet ont été nombreuses avec papa. J'ai été une élève modèle à l'école du catéchisme. Je n'ai pas rechigné ni rien refusé. J'ai reçu les sacrements au fur et à mesure, me suis même confessée quelques fois, et n'ai pas refusé de jouer le mouton dans la bergerie lors de la messe de Noël à minuit. Je n'ai trouvé aucun Dieu, digne de ce nom. Je n'ai jamais réussi à dialoguer avec un être que je ne peux pas voir ni toucher. J'ai bien essayé de le prier, mais en vain et sans y croire véritablement une seule fois. J'ai simplement voulu faire plaisir à mes parents le plus longtemps possible. Jusqu'à la mort d'Agathe, tout ce qui m'importait était l'image que l'on pouvait se faire de moi, après je n'ai plus pu faire semblant.

Nous allions tous les dimanches à la messe, du moins jusqu'à la disparition d'Agathe. D'ailleurs, ma sœur fut bien plus réceptive que moi à la religion durant son enfance, et ce jusqu'à son entrée dans l'adolescence. Elle avait été enfant de chœur et participait volontiers à toutes les activités qui étaient proposées aux enfants, même les sorties pour visiter des églises que je trouvais glauques. Elle trouvait ça plutôt beau et ça rentrait parfaitement dans son idée de mariage princier, où elle porterait une grande robe blanche avec une traîne qui n'en finirait pas en rentrant au bras de notre père dans l'un de ses lieux froids et poussiéreux. Aujourd'hui, je donnerai tout pour grelotter de froid en regardant la femme resplendissante qu'elle serait devenue s'avançant vers l'autel. Notre mère en était très fière, tandis, que je la désespérais malgré tous mes efforts.

Agathe était toujours tirée à quatre épingles, le dimanche. Ses vêtements étaient impeccables. Notre tenue était la même, de tailles différentes, mais le rendu était loin d'être le même. Ma mère y tenait. Elle tenait beaucoup à notre aspect, à l'image que l'on renvoyait. Nous portions une jupe grise avec un collant l'hiver, des ballerines et un chemisier blanc. Nous avions deux tresses, rabattues sur le devant de nos épaules. La seule chose qui nous différenciait, au-delà de notre physique, était la veste que nous portions en fonction de la météo. Il suffisait du trajet entre notre maison et l'Église, pour que je me sois décoiffée, que j'ai filé mon collant ou alors mettre fait une tache au petit déjeuner. Si bien que maman avait décidé que je m'habillerai après avoir mangé. Le pire, c'est que je n'en faisais pas exprès. Je n'étais pas une enfant adroite, gracieuse et docile. Je ramenai de bonnes notes et je ne faisais pas de vague, que ce soit à l'école ou à la maison, mais je ne me trouvais rien d'autre de valorisant et dans ma petite tête j'étais persuadée que ma mère voyait les choses de la même manière. Chacune de ses remarques, je les percevais comme une honte qu'elle ressentait de m'avoir pour fille.

L'adolescence vint pour ma sœur aînée et un revirement d'opinion s'opéra. Les premières semaines, elle trouva tant bien que mal des excuses pour ne pas avoir à aller à la messe. Un dimanche, elle était malade et le suivant, elle avait pris du retard sur ses devoirs à rendre pour le lundi. J'avais tout de suite compris ses supercheries, elle qui n'était pas très scolaire. Alors, je me suis décidée à lui en parler au retour d'une messe.

« Lisandre, puisque tu montes à l'étage, tu diras à ta sœur que nous mangeons dans une dizaine de minutes tout au plus et ça vaut aussi pour toi.

— Oui, maman. »

Quand j'arrivais dans sa chambre, elle était au téléphone. En voyant mon ombre, dans l'entrebâillement de la porte, elle raccrocha.

« Je vais devoir te laisser. Je crois que l'on m'écoute, enfin que Lisandre m'écoute. Au revoir, ma belle. Bisous. Entre Lisandre, je t'ai vu. »

Je suis entrée. Elle m'a souri et m'a dit de venir m'asseoir à côté d'elle sur son lit. J'avais huit ans et elle en avait douze. Elle me paraissait très grande comparée à moi. Je l'admirais, cette sœur qui devenait une adolescente. Il fallait, pourtant, ce jour-là que je lui dise que je pensais sur le fait qu'elle devait arrêter de mentir à papa et maman et plutôt leur dire la vérité même si c'était dur.

« Tu sais, Agathe… Enfin, je sais que tu ne veux plus aller à l'Église. Moi non plus, je n'ai pas très envie d'y aller mais maman et papa, ne me laisseraient pas rester à la maison comme il te l'autorise à toi. Tu devrais leur dire la vérité. Au début, ils ne seront pas très contents, peut-être même déçus, mais ça leur passera.

— Tu n'as pas tort, petite sœur. Je n'ai plus du tout envie de me rendre à la messe, chaque dimanche de chaque semaine. Ça me saoule et je n'y crois plus du tout. Je ne sais même pas comment j'ai pu y croire durant tout ce temps. J'étais vraiment une gamine influençable.

— Les filles, venez vous mettre à table ! »

J'espérais qu'elle en parle, une fois arrivée en bas. Elle ne l'a pas fait. Elle en a parlé quelques jours après à notre père, qui en a ensuite parlé à notre mère. Elle devait craindre la réaction de maman et je ne la comprenais que trop bien. Il nous avait toujours été plus simple, pour l'une comme pour l'autre, de dialoguer avec papa. Notre mère eut du mal à digérer la nouvelle et la froideur se fit ressentir entre ma sœur et notre mère, le reste de la semaine.

Chapitre 5

Quelques semaines, avant l'enterrement de mon père on m'a adressé une petite fille, Elsa. C'est une enfant de huit ans, qui a perdu son petit frère. L'accident s'était déroulé une dizaine de jours avant que nous nous rencontrions. Le bébé âgé de cinq mois, c'était noyé dans la baignoire familiale. Un drame, qui en a entraîné d'autres. La mère avait été envahie d'un sentiment de culpabilité, avant de décider de mettre fin à ses jours. Le père se retrouvait submergé, par la perte successive de son fils et de sa femme. Tous deux avaient été adressés à une psychologue et un psychiatre. De plus, Elsa était placée « temporairement » dans une famille d'accueil, la famille n'étant pas sans avoir d'antécédents. Un signalement a été fait auprès de l'assistante sociale et une enquête a été ouverte.

Après ma licence de psychologie, je m'étais orientée vers un master qui m'amènerait au métier de psychologue. Depuis la révélation que j'avais eue dans les couloirs de l'hôpital à l'âge de treize ans, c'était devenu une évidence. Je souhaitais exercer auprès des enfants. Ma mère s'est contentée d'acquiescer à ce choix et mon père en était ravi. Il disait que c'était un métier fait pour moi, qui m'étais toujours préoccupée des autres. J'ai rencontré quelques difficultés scolaires avant d'obtenir mon baccalauréat, mais rien de très handicapant. Lorsque j'ai étudié à la faculté, je logeais dans un appartement étudiant. Ne plus rentrer chez mes parents, m'a permis de prendre du recul et de me concentrer sur les cours. Je me suis éloignée d'une ambiance familiale maussade, où je me sentais quasiment inexistante et où les liens s'étaient peu à peu disloqués. Ça m'a fait le plus grand bien. Je n'ai jamais été major de ma promotion, mais je ne déméritais pas et n'ai jamais raté un semestre.

Le protocole voulait que même à un enfant, nous ne lui serrions que la main quand il rentrait dans notre bureau. Après les présentations, un silence s'est installé, tandis que nous nous installions l'une en face de l'autre, assises sur nos chaises. Elle fuyait mon regard et se triturait le bout des doigts. J'avais lu son dossier, le soir précédent. Il m'avait fallu y revenir par deux fois, pour réussir à le terminer. C'était un très lourd vécu pour une enfant de huit ans. Ce n'était pas l'histoire d'un malheureux accident sans précédent. Sa mère avait déjà eu des antécédents relevant de la psychiatrie à l'adolescence, dont un internement en hôpital psychiatrique de plusieurs mois. À 20 ans, elle avait eu la petite Elsa. Il y avait eu un premier signalement de négligence, à son entrée en maternelle. Le père travaillait beaucoup et la gamine se retrouvait la plupart du temps seule avec sa mère, mais cette dernière semblait oublier de la mettre à l'école ou de venir la chercher, de l'habiller correctement et sans trous ou à la bonne taille et la déposait la majeure partie du temps à la garderie alors qu'elle se déclarait comme étant mère au foyer, etc. L'assistante sociale s'était rendue chez eux une première fois, ce qui n'avait donné suite à aucune autre visite.

Ils déménagèrent, à trois cents kilomètres de distance de leur lieu de vie précédent. Le père se retrouva au chômage et se consacra à sa fille, qui se trouvait à l'époque en grande section de maternelle. Lors de la visite médicale annuelle, obligatoire dans chaque école se situant sur le territoire français, on nous dépeint une petite fille joyeuse et en bonne santé.

Les deux dernières années de sa vie, sur les trois dernières venant de s'écouler avant le drame, ont été ponctuées de passages aux urgences. Les parents d'Elsa avaient voulu concevoir un deuxième enfant, mais la mère avait enchaîné les fausses couches. Elle semble, alors, se défouler sur sa fille. Il avait été répertorié des bleus, deux fractures au bras droit et trois côtes cassées. L'un des médecins avait fait part de ses doutes dans son rapport, mais la mère disait que sa fille était maladroite et qu'elle avait toujours été d'une constitution plutôt fragile. Cela s'arrêta là, personne ne s'était posé davantage de questions. Ils avaient eu leur petit garçon et les séjours à l'hôpital avaient cessé, durant le temps de gestation de la mère et jusqu'à la mort de celle-ci.

En observant la fillette, je me demandais quelle était la part de responsabilité du père dans tout cela. Il n'avait pas pu ne rien voir, ou du moins ne rien entendre. Avait-il été complice ? Avait-il protégé sa femme ? Avait-il été lui-même victime de sa femme ? Les meilleurs moments de vie de cet enfant étaient ceux passés avec son papa. Mais alors, pourquoi n'avait-il pas pris sa fille sous le bras pour partir loin de la mère ? Des questions sans réponses, à l'heure actuelle. Une enquête est toujours en cours et Elsa est toujours « provisoirement » placée. Le père nie toute implication, bien qu'il reconnaisse que sa femme ait pu se montrer « un peu brutale » envers leur fille, par moments. Elsa, je la vois deux fois par semaine. Quelquefois, elle parle, un peu, d'autres fois, elle ne dit rien. Notre première rencontre est celle qui m'a le plus marquée. Cette gamine avait été victime de maltraitances, sans aucun doute, je l'ai su dès l'instant où j'ai posé les yeux sur elle.

« Bonjour, Elsa. Moi, c'est Lisandre. Je suis la psychologue qui va t'accompagner durant ces prochains mois. Comment te sens-tu, aujourd'hui ? »

Elle a relevé les yeux, sans pour autant relever la tête enfouie dans ses épaules. Deux billes sont venues se fixer sur moi, sans pour autant avoir de réponse, avant de revenir vers les petits doigts rouge vif à force de se faire tirer et pincer dans tous les sens.

« Si jamais tu as la moindre question, n'hésite pas. Je peux tout entendre et je ne te jugerai pas, ni toi, ni ta maman, ni ton papa. Est-ce que tu aimes les histoires ? lui ai-je dit sans vraiment attendre de réponse et moi-même surprise par ce que je venais de lui dire.

— Oui, ai-je entendu de manière à peine audible mais sans la moindre hésitation.

— C'est l'histoire d'une petite fille qui a, à peine quelques années de plus que toi quand elle perd sa sœur dans un tragique accident. Cette enfant, elle est triste, très triste, mais elle n'en parle pas parce qu'il lui semble qu'elle doit être forte et grande. Sa maman, était déjà mal dans sa tête avant d'avoir perdu l'un de ses enfants, mais c'est encore pire après. Sa maman, elle la culpabilise, elle la fait se sentir coupable de la mort de sa sœur sans vraiment s'en rendre compte, mais ce n'est pas la réalité. Ce n'est pas forcément volontaire de la part de la maman, mais comme elle est malade et triste, elle ne se rend pas compte du mal qu'elle fait à sa fille vivante. Cette petite fille, elle ne voulait surtout pas être comme sa maman, alors elle s'est construite toute seule tant bien que mal. Elle est devenue une jeune fille, qui s'est construit une carapace, mais seule on n'avance pas très loin et ça elle ne l'a appris que bien plus tard.

— Pourquoi vous me racontez ça ? me dit-elle, timidement.

— Cette petite fille, c’était moi. Ma maman n’était pas violente comme la tienne, mais elle était malade et l’est toujours, malheureusement. Tu vois, je peux en partie comprendre ce que tu traverses. Longtemps, j’ai pensé que je pouvais avancer toute seule, comme une grande. Crois-moi, je ne suis pas allée bien loin. Je te raconte, une partie de mon histoire, pour te dire que tu n’es pas seule et que tu n’as pas à être forte pour les autres. Ce n’est pas à toi de protéger les adultes, même ton père, mais aux adultes de te protéger.

— C’est peut-être trop tard, me dit-elle en redressant tout son corps.

— Ce n’est pas trop tard. Je sais que lorsque tu étais plus jeune, les grandes personnes n’ont pas fait ce qu’il fallait, mais maintenant je vais t’aider. »

J’accueillais chaque patient une heure. Je ne pouvais pas faire autrement et rendre les horaires malléables à ma guise. L’heure venait déjà de s’écouler pour Elsa et moi. Il fallait que je close la séance et ce n’est pas toujours ce qu’il y a de plus évident. Parfois, je me dois d’arrêter l’enfant en plein discours, comme c’est souvent le cas avec le petit Swann. Cet enfant est tombé en anorexie à l’âge de sept ans par suite de moqueries de la part de ses camarades. Il a beaucoup progressé et désormais, n’en finit pas de me raconter tout ce qu’il apprend avec sa mère qui lui fait l’école à la maison. J’avais même conseillé aux parents de le mettre dans un centre de loisirs, ou de l’envoyer en colonie de vacances l’été, parce qu’à quasiment neuf ans un enfant se doit d’avoir des échanges et des rapports amicaux avec ses pairs, pour se développer correctement. Alors, à chaque retour de vacances il me racontait toutes ses aventures. Cette fois-là, c’était plus simple, Elsa ne disait mot et l’attitude à adopter m’a paru évidente.

Je me suis levée, en lui disant qu'il était l'heure pour elle de retourner au chaud chez les gens qui l'accueillaient, mais que nous nous reverrions d'ici peu. Elle s'est levée, de nouveau courbée. Au moment, où elle se dirigeait vers la porte sans s'arrêter, je lui ai demandé d'attendre avant de sortir. J'ai délicatement posé ma main sous son menton et le lui ait relevé, des larmes silencieuses coulaient sur ses joues. Je me suis agenouillée et lui ai ouvert mes bras, dans lesquels elle est venue se réfugier m'agrippant de toutes ses forces et pleurant à chaudes larmes. Nous nous redressâmes. J'ouvris la porte et avant qu'elle ne s'en aille, je posais ma main sur son épaule et lui sourit, sourire qu'elle me rendit timidement.

***

En prenant place dans le canapé de mon salon, juste après être rentré de l'enterrement de mon père, je m'aperçois que j'ai laissé mon ordinateur allumé. Des papiers sont en désordre sur la table basse. Parmi ce fouillis de dossiers et de comptes-rendus, j'aperçois la photo de la petite Elsa. Son expression est fermée et aucune lumière ne semble animer son regard, ce qui m'amène à penser que c'était peut-être la chance d'un nouveau départ pour elle le suicide de sa mère. J'avais eu une attitude, qui aurait pu me valoir un blâme c'est vrai, mais qu'importe. Je n'exerce pas pour suivre à la lettre un protocole, mais pour aider des enfants que la société, les adultes ou d'autres enfants ont malmenés. Je veux ne serait-ce que réussir à donner un coup de pouce à la reconstruction d'être trop jeunes pour avoir déjà autant vécu. Lui faire le récit de quelques pièces de puzzle de ma vie et la prendre dans mes bras pourraient peut-être l'aider à surmonter ses traumatismes, mais en théorie mon serment me l'interdit.

Je me demande si, ma mère a déjà formulé à mon père l'envie d'en finir ou si ça lui a ne serait-ce qu'un jour traversé l'esprit. Je ne sais pas. Se laisser dépérir, pourquoi pas, si mon père n'avait pas été présent. Se suicider de manière brutale, je ne pense pas, ce n'est pas dans son caractère. Peut-être que si elle avait décidé de mettre fin à ses jours, mon père et moi-même aurions mieux vécu. Sûrement que dans ce cas je ne serais pas une psychologue, célibataire et sans enfant. C'est une pensée égoïste, du moins tout autant que le voile qu'elle s'est mis devant les yeux et la vie qu'elle nous a imposée.

Chapitre 6

Après avoir renversé Agathe, le chauffard avait pris la fuite. Cependant, l'une des deux amies de ma sœur présente sur les lieux au moment du drame, avait réussi à se souvenir d'une partie de la plaque d'immatriculation, de la marque et de la couleur de la voiture. Au bout de quelques jours, la voiture et son propriétaire avaient été retrouvés. Elle se trouvait dans son garage et lui-même à son domicile. C'était un homme sans casier judiciaire, qui avait pris la fuite dans la panique. Il n'était pas retourné travailler depuis le jour de l'accident, ayant filé chez son médecin dès le lendemain pour avoir un arrêt maladie. Depuis, il s'était cloîtré chez lui ne sachant pas quoi faire. À plusieurs reprises, il avait hésité à aller voir la police pour leur avouer qu'il avait renversé une jeune fille sur un passage piéton au coin d'une rue parce qu'il allait un peu trop vite, mais il en avait été incapable. J'avais lu ce rapport, quand l'enquête avait été close et le jugement rendu. Nous avions récupéré les affaires qu'Agathe détenait en sa possession ce jour-là et toute la paperasse des enquêteurs comme du médecin légiste. Ma mère voulait, précieusement, tout garder.

Je parle, dès maintenant, de toute l'enquête sur le chauffard qui a renversé ma sœur bien que les faits se soient déroulés sur plus d'un an et demi. Je le fais pour éviter de me mélanger les pinceaux entre l'enquête officielle de la police et celle officieuse que j'ai menée autour de moi, dans les mois qui ont suivi ma rentrée en quatrième. Il semblerait que cela a quand même été assez rapide, même pour une enquête d'homicide involontaire. C'était un homme d'une quarantaine d'années, sans histoire. Il avait divorcé quatre ans plus tôt et avait ses enfants un week-end sur deux. Ça lui convenait, étant donné qu'il travaillait beaucoup avec des horaires d'une grande amplitude. Au moment des faits, j'en voulais à mort à cet homme. Je voulais qu'il meure dans d'atroces souffrances, lui et ses enfants. Mon opinion n'a pas changé devant la mine défaite de cet homme au procès ni quand j'ai lu les lettres qu'il avait écrites à mes parents. Ce n'est qu'une fois majeure que j'ai pris à mon tour l'initiative de lui écrire. J'avais repris l'adresse figurant sur certains papiers de l'enquête, en espérant qu'il n'en ait pas changé entre-temps. Il avait effectivement changé d'adresse, mais récemment, et faisait encore suivre son courrier entre les deux domiciles.

Monsieur,

Vous allez certainement trouver très étrange et peut-être même inquiétant, le fait que je vous écrive. Ne prenez pas peur, le mal a déjà été assez fait et vous avez été assez puni, pour le restant de vos jours. Je suis la petite sœur de la jeune fille que vous avez renversée il y a de cela quelques années. Au début, j'espérais votre mort dans d'atroces souffrances. Maintenant, je sais que ça n'a jamais été dans vos intentions de la tuer. Vous voudriez tout autant que moi que cet accident n'ait jamais eu lieu. On ne revient pas en arrière. Je suis désolée. Désolée, de vous avoir maudit, détesté du haut de mes airs de je sais tout et de jeune demoiselle vouant une admiration sans bornes à sa sœur. Pourtant, j'ai appris au fil du temps que ma sœur n'était pas aussi admirable qu'elle le laissait paraître. A-t-elle été punie ? Je ne sais pas. En tout cas, elle a comme vous payé un prix très fort. Je vous écris, pour essayer ne serait-ce que de soulager un peu votre conscience et sûrement par ce biais aussi un peu la mienne. Vous n'avez pas tué une enfant innocente. Vous n'avez pas détruit ma vie ni celle de mes parents. Vous n'avez fait que révéler ce qui était déjà sous-jacent. Ma mère était déjà une âme en peine, qui n'a fait que se renforcer. Mon père a toujours voué son temps et son énergie à sa famille, tel un radeau en pleine mer déchaînée. Les fissures n'ont fait que s'élargir pour laisser entrer l'eau. Quant à moi, vous n'avez fait que me sortir de mes illusions de petite fille. Tout ça pour en venir à vous dire que je suis triste de ce que vous avez involontairement fait, que ma sœur soit morte, peu importe ce qu'elle a fait, dit et été, mais je vous pardonne. Je vous pardonne de lui avoir ôté la vie.

Lisandre Lessieur

Je n'ai jamais obtenu de réponse, mais ça m'avait soulagé d'écrire à cet homme. L'histoire entre cet homme et moi s'est arrêtée à cette lettre. Je n'oublierai jamais son adresse, son nom, son visage, pour toujours il sera le meurtrier d'Agathe, mais ce qu'il a fait aurait pu arriver à d'autres. Je lui pardonnais, pour être en paix avec moi-même. Sûrement qu'il ne le serait plus jamais peu importe ce que j'aurais pu lui dire. Il avait déjà effectué trois ans de prison et payait une amende s'élevant à quarante-cinq mille euros. Il me semble qu'il aurait dû effectuer cinq ans, mais que sa peine avait été raccourcie pour raison de bonne conduite.

L'été caniculaire s'est achevé dans la peine mélangée à de la haine. Ma mère passait la majeure partie de son temps à dormir et mon père, n'avait que peu de temps à m'accorder. Rapidement, le médecin traitant de maman l'avait adressé à un psychiatre. Encore, aujourd'hui, elle est sous traitement pour une dépression qui la suivra à n'en pas douter jusqu'à la fin de sa vie. Seulement, les premiers mois le psychiatre qu'elle a vu ne faisait que la « shooter » pour qu'elle « se repose ». Mon père a fini par l'emmener en consulter un autre. Pour ma part, je passais mon temps dans ma chambre, même lorsque la canicule s'est achevée je ne suis pas sortie faire quelques pas dans le jardin ou en ville avec des amis. Je n'avais aucune envie de voir du monde. Pourtant, les quelques amis que j'avais ont bien tenté de rentrer en contact avec moi. Je sortais de mon antre, pour manger et faire les tâches ménagères qu'il m'était demandé d'exécuter dans la maison. Je ne quittais pas l'étage sans mon casque, le volume à fond. Je n'avais pas très envie, non plus, d'adresser la parole à mes parents. Un matin, il a fallu retourner au collège. J'ai bien essayé de négocier, auprès de mon père, mais aucune excuse ne trouva de la crédibilité à ses yeux.

Quand j'ai franchi la porte d'entrée, ça faisait quasiment un mois que je n'avais pas mis un pied dehors, depuis l'enterrement d'Agathe. Mon père m'a déposé avant de se rendre au travail. En montant dans la voiture, j'ai vu ma mère écarter le rideau à l'étage supérieur. Son regard a croisé le mien. Mon père a lui aussi relevé la tête, se demandant ce que je devais observer. Elle s'est retirée de devant la fenêtre. En fermant la portière côté passager, c'était aussi une porte de mon cœur qui se refermait sur ma maman. Je ne le faisais pas de bon cœur. À ce moment, je prenais conscience qu'il fallait que je me protège si je ne voulais pas qu'elle me détruise. J'ai passé le trajet la tête contre la vitre, regardant indifféremment le paysage défiler. Nous sommes arrivés sur le parking se trouvant en face du collège. Je m'apprêtais à descendre, quand mon père s'adressa à moi après un trajet qui s'était fait en silence.

« Tu n'embrasses pas ton vieux père ? »

Je lui fis la bise, sans grande conviction. J'ouvris la portière et passais une jambe en dehors de l'habitacle.

« Lisandre, tout va bien se passer, ne t'inquiète pas. Je te le promets. Tout va s'arranger. Ça va aller, me dit-il, mais je me demandais s'il ne se disait pas plutôt ça pour se rassurer lui-même.

— Non, Papa. Non, rien ne va s'arranger. Agathe sera toujours morte. Ça n'ira plus jamais. Notre famille n'en sera plus jamais une. Ne me fais pas une promesse que tu seras incapable de tenir, lui dis-je, en refermant la portière. »

Je ne me suis pas retournée avant d'avoir atteint le grillage, pour voir sa voiture s'éloigner. Je savais qu'il m'avait regardé traverser, en pensant à la fille qu'il avait perdue et en se disant qu'il commençait à me perdre aussi. Il devait, également, penser à la rentrée qu'Agathe ne ferait pas. Le connaissant, il aurait même été capable de faire un détour par le lycée pour regarder tous ces lycéens rire et bavarder entre eux, avant que sonne l'heure d'aller en cours. Un peu, pour avoir la certitude que ce qu'il vivait était réel et un peu, pour retourner le couteau dans sa propre plaie. Mon père était comme ça.

Je suis rentrée dans la cour, m'asseyant contre un muret en attendant que le principal nous réunisse pour faire l'appel de chaque classe, de la cinquième à la troisième. La rentrée des sixièmes ayant été effectuée le jour précédent, comme c'était le cas tous les ans. Mon amie, Noémie, me rejoignit. Une belle personne, avec laquelle je suis toujours en contact. On s'était rencontré, lors de notre rentrée en cinquième. Elle venait de déménager, à plusieurs centaines de kilomètres de la région où elle avait passé son enfance. C'était une jolie jeune fille, avec des taches de rousseur sur les pommettes. Elle était entière et sans filtre dans ses relations. Parfois, ça avait pu quelque peu heurter notre amitié, mais quand un problème ou un malentendu se présentait nous crevions l'abcès. Ce matin-là, elle n'était pas arrivée en sautillant dans tous les sens. Ses joues n'avaient pas pris une teinte rosée comme à leur habitude, mais plutôt livide. Ce jour-là, elle n'était pas arrivée essoufflée d'avoir couru de son arrêt de bus au collège parce qu'elle le ratait quasiment à chaque fois. Elle était calmement venue s'asseoir à mes côtés. Quand j'ai tourné la tête, son sourire reflétait la peine qu'elle ressentait à mon égard.

— Bonjour, Lisandre. Comment vas-tu ?

— Ça va, comme une fille dont la sœur vient de mourir. Et toi, tu as passé un bon été ?

— Plutôt, oui. Le principal branche son micro, dit-elle en portant son regard sur le préau. Nous avons encore le temps avant qu'il réussisse à brancher son matériel, retrouver ses feuilles… enfin… tu vois, comme chaque année, dit-elle avec un petit rire gêné. On pourrait déjà s'avancer, pour ne pas se retrouver derrière. Ça ne me pose pas de problème, personnellement, mais toi tu n'es pas très grande, me dit-elle, en me tapant gentiment sur l'épaule.

Je lui rendis son geste, en lui souriant. Elle commença à se détendre. En quelques instants, elle avait retrouvé son comportement habituel et faisait mine d'essayer de me tirer par le bras pour que je la suive. Nous avons dû patienter un moment avant d'entendre Noémie et moi, que nous serions dans la même classe pour notre année de quatrième. Nous nous trouvions en 4e 3. Là, nous avons retrouvé la majeure partie de nos camarades de l'an dernier. Notre amie, Pauline, elle se retrouvait dans une autre classe. Notre professeure principale nous a conduits en rang jusque dans une salle de classe, pour se présenter et certainement comme chaque année elle dut relire le règlement intérieur, nous expliquer ses attentes, etc. J'avais été attentive à cette matinée de rentrée en sixième, mais les années suivantes tout le monde décrochait dès qu'il détenait entre ses mains son emploi du temps si ce n'était pas déjà avant.

« Pssst, Lisandre… Lisandre… On a un emploi du temps merdique. On finit quatre jours sur cinq à dix-sept heures.

— Ouais.

— Bon sinon, c'est quoi déjà la seconde langue que tu as prise ? Espagnol ? Italien ?

— J'ai pris Allemand, et toi, tu as dû prendre Espagnol ?

— Oui. Ça va, ce sera le seul cours où l'on ne se retrouvera pas ensemble. »

J'étais plutôt satisfaite de terminer la plupart des jours les cours à dix-sept-heures. Il ne me restait plus qu'à trouver une excuse pour ne pas avoir à rentrer chez mes parents avant au moins seize heures, le mercredi après-midi. J'espérais, déjà, avoir bientôt des devoirs en groupe à effectuer pour pouvoir échapper à ma mère. Je ne supporterais pas longtemps de la voir se traîner d'un bout à l'autre de la maison, me demandant de l'aider dans telle ou telle tâche, sans jamais véritablement s'adresser à moi. J'étais dans mes pensées, quand j'entendis un chuchotement derrière moi qui m'interpella.

« Ce n'est pas la sœur de la fille qui est morte ?

— Je crois bien, en tout cas, c'est ce que j'ai cru comprendre de la part de certains dans la cour de récréation.

— D'accord, mais ton frère, justement il ne connaissait pas celle qui est morte ?

— Elle était dans sa classe l'an dernier.

— La pauvre, ça doit être dur quand même. »

Je ne sais pas si l'une d'entre elles aurait rajouté autre chose, mais je me suis vivement retourné. Mon regard est venu se planter dans celui de celle qui venait de prendre la parole. Elle rougit et baissa les yeux. Avant de retourner, à la contemplation de ma feuille blanche, je jetais un coup d'œil à l'autre fille qui notait les informations demandées par la professeure. La jolie brune n'a même pas relevé la tête.

***

L'après-midi, nous nous sommes rendus au cours figurant sur notre emploi du temps. Je serais bien incapable de me souvenir des matières que nous avions, mais j'ai été interpellé par un garçon que je connaissais de vue. La sonnerie annonçant la fin de la récréation venait de sonner. Noémie et moi disions au revoir à Pauline et nous nous apprêtions à nous engager dans un couloir du rez-de-chaussée. C'était un grand brun, maigre, âgé d'une année de plus que nous. Il était adossé contre les casiers, lorsqu'il m'a appelé. Je l'avais déjà vu et pas qu'une seule fois dans la cantine et les couloirs, mais j'ignorais son prénom, n'ayant aucune connaissance en commun.

« Hey, la petite brune avec les boutons d'acné… Oui, toi là ! Tu veux que je sois en train de parler à qui d'autre !

— Euh… Oui, mais ce n'est pas forcément la meilleure manière d'interpeller quelqu'un.

— Tu es bien la petite sœur d'une certaine Agathe… Agathe Lessieur… Si, je ne me trompe pas.

— Oui, mais…

— Je t'arrête tout de suite, la minus. Tu ne feras pas avec-moi ton numéro de la pauvre gamine qui vient de perdre sa sœur et dont la vie vient de basculer, ou je ne sais quoi. Contrairement à toi, qui ne sembles pas me connaître, je vous connais-toi et ta sœur, bien mieux que tout ce que tu peux imaginer. Donc je vais te dire ce que je pense, c'est bien fait pour toi et ta famille ce qui vous arrive. Ta poufiasse de sœur a eu ce qu'elle méritait. Alors, écoute-moi et je ne le redirais pas deux fois, je ne te laisserai pas reprendre son flambeau. Enfin, quoi que… quand je vois ta tête ça m'étonnerait, mais plus jamais je ne laisserai personne faire souffrir mon frère et mes parents, dit-il en me tapotant la joue. »

Il s'éloigna et je l'aperçus, malgré la foule, me mimer un tranchement de gorge. De l'autre côté, Noémie m'assaillait déjà de questions sur la conversation que je venais d'avoir avec ce garçon.

« Alors, il te voulait quoi ? Ne me dis pas que c'était de la curiosité mal placée par rapport au drame de cet été ? Ou alors, il te trouvait mignonne, mais méfie-toi ça pourrait juste être de la pitié quand même… »

Je finis par décrocher de son flot de paroles, le regard fixé sur le fond du couloir qui commençait à se vider. Je finis par réagir quand la seconde sonnerie retentit pour signaler le début des cours et à dire aux retardataires comme nous de se dépêcher.

« C'était juste pour… pour… me demander si je connaissais une fille. Je ne la connaissais pas, dis-je, tandis que Noémie me fusillait du regard. Nous devrions nous dépêcher d'aller en cours. »

Elle allait protester, mais je lui emboîtais déjà le pas.

Chapitre 7

Quelques jours après l'enterrement de mon père, je suis retournée voir ma mère chez elle. Je voulais m'assurer que tous les frais étaient payés, que tous les documents de mon père avaient été triés, rangés, ainsi que ses affaires. J'étais déjà venue aider maman à s'occuper de la majeure partie, mais je voulais peaufiner quelques détails et peut-être avais-je déjà en cours de route quelques questions qui ne me sortaient plus de la tête. Une vingtaine de minutes séparaient mon appartement de la maison de mes parents. J'arrivais en voiture et me garais dans l'allée centrale de la cour. La voiture de mon père était en vente, ma mère étant désormais seule. Elle ne garderait que la sienne. Elle m'avait demandé si l'acheter à moindre prix, étant tout de même de la famille, m'intéressait mais j'avais décliné son offre. Celle avec laquelle je roulais ferait encore l'affaire durant un an ou deux.

Il y a un pot de fleurs décrépi sur chacune des trois marches, menant à la véranda. Des fleurs que mon père avait dû offrir à ma mère, dont il était le seul à s'occuper. J'ai toujours entendu maman dire qu'elle n'avait pas la main verte et les rares fois où ma sœur et moi avions aidé à l'entretien du jardin, c'était en rechignant. J'enclenche la sonnette. Nous sommes en milieu d'après-midi, sachant qu'elle n'apprécie pas tellement les visites matinales. Elle vient m'ouvrir et me prie d'entrer.

« Je ne pense pas qu'il y ait encore quelque chose qui traîne, Lisandre, mais tu peux venir vérifier par toi-même. Tu peux me trouver de nombreux défauts, mais je suis une femme ordonnée, dit-elle en s'engouffrant dans la cuisine. »

J'entrais dans la salle à manger et prenais place sur l'une des chaises autour de la table. La pièce jouxtait celle du salon, sans porte de séparation, un changement de décor et de moquette nous le signale sans pour autant que ça en soit le but premier.

« Veux-tu quelque chose à boire ?

— Volontiers. »

Nous nous retrouvâmes assises l'une en face de l'autre, buvant en silence notre tasse de thé. Le regard perdu au loin, elle regardait le mur ouest du salon. À défaut d'avoir un caractère similaire, nous nous ressemblons physiquement. J'ai pris bon nombre de ses traits et autrefois Agathe, avait hérité de ceux de notre père. J'étais juste plus petite et j'avais tendance à m'arrondir, tandis que maman avait toujours gardé son tour de hanches de jeune fille. Une fois ma tasse terminée, j'allais la déposer dans l'évier et dis à ma mère que je montais à l'étage dans le bureau de papa. Je prévoyais de laver la vaisselle avant de repartir.

Je me devais de passer devant les trois chambres et la salle de bain, avant d'atteindre la pièce où se trouvait le bureau, en l'occurrence celui de mon père puisqu'il était le seul à l'utiliser. C'est la dernière pièce, se situant au bout du couloir. Autrefois, quand ma sœur et moi avions été des enfants c'était une salle de jeu. Nous avons emménagé dans cette maison, lorsque Agathe avait cinq ans et que j'entamais ma première année de vie. Mes parents savaient qu'ils ne voudraient pas d'autre enfant, alors la question ne se posait pas quant au fait de garder ou non sous le coude cette quatrième pièce qui est de la même dimension que les trois chambres. Notre père l'avait aménagé pour nous. Il en a fait un bureau, quand je suis allée poursuivre mes études dans une autre ville. Ça faisait longtemps qu'il n'y avait plus de jouets dedans et qu'aucun enfant n'était venu y passer du temps. Quand j'ai ouvert la porte, la pièce était plongée dans le noir alors qu'il y avait dehors une belle éclaircie. Le volet était fermé. En l'ouvrant, je constatais peu à peu une pièce quasiment vide.

Il y restait le bureau, une lampe sur celui-ci et une chaise. Plus aucun papier ne figurait sur le bureau ni son ordinateur portable. Les étagères où il entassait ses bouquins avaient été vidées. J'ouvris les tiroirs pour constater aussi qu'il n'y avait plus un seul dossier. Plus aucun stylo, pas un seul post-it et la poussière semblait y avoir été chassée. Mon père était bordélique et je l'ai rarement vu un balai et une pelle à la main. J'appelle donc ma mère, du haut de l'escalier. Quelques minutes plus tard, nous nous retrouvons l'une à côté de l'autre, dans l'encadrement de la porte.

« Qu'as-tu fait des affaires de papa ?

— J'en ai descendu une partie à la cave et j'ai donné le reste à une association. Qu'aurais-tu voulu que j'en fasse ? Je ne pouvais pas garder un ordinateur portable dont je n'ai aucune utilité, des vêtements qui allaient finir par prendre la poussière et tout un tas de babioles que ton père gardait. »

Ce n'était pas la première fois que je m'apprêtais à lui faire la remarque, mais sa dernière phrase fut la goutte d'eau qui fit déborder le vase.

« Ça ne t'a pas empêché de garder toutes les affaires d'Agathe, jusqu'au moindre bout de papier, entreposées dans sa chambre. Je ne suis pas pour accumuler indéfiniment certaines choses, mais ça fait seulement dix jours que ton mari est parti. Tandis, que ça fait vingt ans que la chambre qui était celle de ta fille est un sanctuaire. À croire qu'il y a seulement sa présence à elle qui t'importait.

— Je ne te permets pas de me parler sur ce ton, Lisandre. Tu te le permettais déjà durant ton adolescence, ce que j'ai laissé passer, mais maintenant il serait temps que tu te comportes en adulte. Ton père t'a toujours passé tous tes caprices. De toute manière, tu étais sa petite fille chérie préférée…

— Il est clair que je n'étais pas la tienne. De toute façon là n'est pas le propos. Tu ne m'as jamais entendu, encore moins écouté, trop renfermée dans ta peine » et sur ce, je tournais les talons et me précipitais vers la première porte qui longeait le couloir.

Le temps que ma mère comprenne où j'allais et peut-être, ce que je m'apprêtais à faire. J'enclenchais, déjà, la poignée et ouvris la porte. Mes yeux se posèrent sur le mur d'en face, où un grand poster de Kyo s'étalait avec des plus petits tout autour. Sur le bureau à droite, des stylos de toutes les couleurs sont disposés dans des pots, des post-it jonchent le bureau et le mur et à côté de la chaise le sac à main qu'Agathe venait d'avoir à son anniversaire s'y trouvait. Il a été rayé de toute part, puisqu'elle l'avait avec elle au moment de l'accident, mais une fois récupérée ma mère l'avait remis à son emplacement habituel. Elle a également des polaroïds accrochés aux murs où figurent principalement elle et ses amis. Le lit semble avoir été fait le matin même. J'ouvre les tiroirs de la commode et j'y trouve des vêtements pliés, comme j'avais déjà pu le constater la dernière fois que j'étais entrée dans cette pièce. Tout était disposé, comme si ma sœur était seulement partie faire un tour en ville avec ses amies. Seulement, elle n'est jamais revenue de sa dernière promenade.

Mon père n'étant plus là pour me dire de ménager ma mère et de la laisser agir comme il le lui semblait bon, je pris d'une main la couette et la jeta en boule à terre. Je fis de même avec le reste des draps. Jusqu'ici, maman se tenait dans l'encadrement de la porte, pâle, et les yeux grands ouverts. Elle réagit quand j'ouvris le premier tiroir de la commode en partant du haut. Elle se jeta sur moi en criant que je n'étais qu'un monstre sans cœur, que je ne pouvais pas lui faire ça. Elle disait qu'elle savait que je la détestais et tout un tas d'autres paroles que je trouvais absurdes mais qui en y repensant me blessait quand même. Elle était en colère et à cet instant, je me disais que c'était peut-être bon même si c'était tourné contre moi. Ça allait peut-être pouvoir, enfin, l'aider. Elle me frappait aussi fort qu'elle le pouvait, au hasard, du plat de ses mains. Je finis par prendre ses poignets et la regarder dans les yeux. Nos cheveux avaient perdu toute discipline, ce qui devait d'une certaine façon accentuer notre ressemblance. Elle s'apprêtait à fondre en larmes et un peu plus j'en aurais fait de même.

Je l'ai lâché, ses bras sont retombés le long de son corps comme un pantin désarticulé. Ne voulant m'attarder plus longtemps sur ce que je venais de causer, je suis sortie de la chambre, sans échapper au son de ses genoux heurtant le sol, ni à ses sanglots. J'ai dévalé les escaliers, claqué la porte d'entrée et à pas rapides je me suis réfugiée dans ma voiture. Là, je n'ai pu me retenir de pleurer, tapant à plusieurs reprises mes poings contre le volant. J'étais toujours aussi en colère, après des années, face au deuil que celle qui est ma mère n'a jamais été capable de faire. Je regardais une dernière fois la maison et plus particulièrement les fenêtres à l'étage, avant d'allumer le moteur. Elle devait pleurer, atterrée, et tant bien que mal essayer de ranger ce qui ne l'était plus. Je décidais en cours de route de bifurquer sur le chemin du retour, pour me rendre chez Noémie. J'avais besoin d'extérioriser auprès de celle qui est ma plus proche amie, après tant d'années passées ensemble côte à côte à surmonter les galères de la vie. Elle saurait quoi dire pour me rassurer et comment me changer les idées.

En arrivant devant chez mon amie, on peut tout de suite voir qu'une famille y vit. Il y a un toboggan, des balançoires, des brouettes en plastiques miniatures, un ballon, etc. Dans l'allée centrale se trouvent deux voitures électriques. Noémie s'est lancée après un baccalauréat scientifique dans des études vétérinaires et son mari est chirurgien dentaire. Je vous laisse donc imaginer les véhicules, la façade et le mobilier se trouvant à l'intérieur. Elle n'a rien perdu de son grain de folie, mais avec son mari et pour ses enfants elle n'a pas refusé de vivre confortablement. À sa place, je pense que j'aurais fait de même. Cependant, contrairement à elle je n'avais encore rien construit et par moments j'en venais à penser que je ne construirais jamais rien de tel. Pourtant, financièrement je n'ai pas à me plaindre mais cela ne m'est d'aucune utilité pour faire vivre d'autres personnes que moi-même sous le même toit.

En entrant dans le salon, trois enfants qui ont entre huit et trois ans viennent s'accrocher à mes jambes en me surnommant « tatie Lisandre ». Ce sont bien les seuls gosses qui me donnent un peu, parfois, envie de fonder un jour mon propre foyer. Noémie est une mère formidable, mais je doute en faire autant avec les gènes qu'a pu me léguer la mienne. De plus, avant d'accepter d'être la marraine de la petite dernière, Éloise, j'ai longuement hésité. Je ne me sentais nullement proche de l'Église catholique depuis la sortie de mon enfance et je n'étais pas certaine d'être à la hauteur et d'apporter les réponses nécessaires aux questionnements que pourrait avoir cette petite fille. Alors, je me sens bien incapable un jour à me décider à avoir mes propres enfants et encore plus d'avoir la capacité de les élever. Quant à Noémie, elle m'accueillait toujours avec son chaleureux sourire.

Mon amie est mon contraire spirituel. Elle est née dans une famille qui avait été catholique pratiquante, mais ses parents n'étaient déjà plus des abonnés à la messe dominicale. Ils l'avaient baptisé par tradition et pour ne pas faire d'histoire avec les grands-parents, ainsi que des oncles et tantes éloignés. Elle avait rencontré le Christ à la faculté, à travers un aumônier sur le campus. Je me souviens, encore, des longs discours qu'elle m'avait faits après.

Une fois assise côte à côte sur son canapé, je lui ai raconté ce qui s'était produit plus tôt dans l'après-midi avec ma mère. Elle m'écouta attentivement, avant de me dire de prendre du recul sur les derniers évènements et d'aller m'excuser, parce qu'il n'y avait pas d'autre solution étant donné que je pensais que ma mère ne le ferait pas, au moins, pour apaiser les tensions. Je ne lui dis pas, mais intérieurement je pensais qu'entre ma mère et moi il n'y avait certainement jamais eu d'amour comme ça aurait dû être le cas entre une mère et sa fille. Pour autant, je me retins de tenir un pareil propos, quant à ce même moment Éloise vint se jeter au cou de sa mère et que celle-ci la pris sur ses genoux et qu'elles se regardèrent l'une et l'autre comme le centre de leur propre monde.

Avant que je m'en aille, elle me dit qu'elle allait prier pour moi, ma mère et que me recueillir de temps en temps pourrait me faire du bien même si elle savait que je n'étais pas trop penchée sur la spiritualité.

Chapitre 8

Jusqu'à ce que je rentre à la maison, et ce même après, je n'ai cessé de repenser à la rencontre plutôt houleuse que j'avais eue avec le garçon dans le couloir. J'ai peu mangé, ce soir-là, mais mon père était trop fatigué après sa journée de travail pour le remarquer et ma mère avait l'esprit trop embrumé à cette époque par les médicaments. Cela faisait à peine un peu plus d'un mois qu'Agathe nous avait quittés. Une fois le repas terminé, j'ai tout de suite grimpé l'escalier et claqué à la volée la porte de ma chambre. Quelques plaintes de la part de mes parents me parvinrent. Affalée sur mon lit, j'ai eu envie de pleurer. Je ne savais pas trop bien pourquoi, mais mon cœur était lourd. J'étais emplie de peine et de colère, envers mes parents, les élèves du collège, ma grand-mère qui semblait détester coûte que coûte ma mère et envers Agathe. Elle me manquait. Je lui en voulais d'être morte. Elle me laissait seule, à la merci du monde et de ce garçon qui m'en voulait pour je ne sais quoi. J'étouffais mes cris contre l'oreiller et y écrasais mes poings. Une fois calmée, éreintée, je me suis endormie.

Quelques heures, plus tard, alors que le jour ne s'était pas encore levé, je m'étais réveillée en sursaut. Un cauchemar, certainement, bien que je n'en aie eu aucun souvenir. Je sentais mon cœur battre jusque dans mes tempes et je n'étais pas très rassurée. Certainement, un mauvais rêve à propos de la journée passée. Après une demi-heure à tourner dans mon lit, sans retrouver le sommeil, je suis sortie de ma chambre et me suis rendue au rez-de-chaussée. Je me suis servi un verre d'eau, dans la cuisine. En m'apprêtant à remonter l'escalier, j'ai perçu une présence avant même de la voir autour de la table de la salle à manger. Je me retournais, pensant que ça pouvait être l'un de mes parents, mais ce fut une silhouette longiligne dans la pénombre avec laquelle je me retrouvais nez à nez. Elle tira la chaise sur laquelle elle était assise dans un grincement désagréable et je compris à ce moment-là qu'elle était de dos. De longs cheveux lui tombaient en cascade en dessous des épaules. Elle se retourna et commença à s'avancer dans ma direction. Je reculais, l'effroi m'envahissant et trébuchais sur la première marche pour venir m'écraser au sol.

Elle s'avançait de plus en plus, mais j'étais incapable de me relever et d'émettre le moindre son. Elle portait une robe jusqu'aux chevilles, du moins c'est ainsi que je perçus sa tenue jusqu'à ce qu'elle arrive dans la lumière qui était filtrée par la porte d'entrée. Je tournais légèrement la tête vers celle-ci, me demandant quelle heure il pouvait bien être pour qu'il fasse déjà aussi jour et depuis combien de temps j'avais quitté ma chambre, avant de reporter mon attention sur… sur… Agathe ! À moins d'un mètre de moi se trouvait ma sœur dans une robe de chambre hospitalière, pieds nus et le teint gris. Elle avait de méchants bleus sur ses bras, ses jambes et son visage étaient impassibles, décomposés de toute émotion.

Elle continuait sa progression laissant derrière elle des traces de pas, bientôt son visage se trouverait en face du mien. Je ne pouvais cesser de la fixer et sa main s'avança pour me saisir à la gorge. Un sourire distordu apparut sur son visage qui commençait littéralement à se décomposer sous mes yeux, ainsi que son bras tendu et le reste de son corps. J'avais de plus en plus de mal à respirer. Elle ouvrit tout de même une bouche qui n'en était plus vraiment une, avec une langue qui ressortait du côté droit de ce qui restait de son visage, où aurait dû se trouver une joue.

« Lisandre, tu vas être une bonne petite sœur et une gentille petite fille, comme tu l'as toujours si bien fait. Tu vas te mêler de tes affaires et tout se passera bien. »

Prenant l'air qui me restait dans mes poumons, je criais de toutes mes forces. Je me suis réveillée tremblante, en sueur, dans mon lit. Sur ma table de chevet, mon réveil sonnait. Je l'éteignis et me levais précipitamment pour aller prendre une douche, avant de déjeuner et que mon père me dépose devant le collège. Ce n'était qu'un cauchemar. Rien de plus. Sous la douche, j'essayais de m'en convaincre mais le visage de ma sœur morte voulant me tuer me revenait dès que je fermais les yeux. Il me semblait évident, qu'elle souhaitait que je meure ou du moins me faire taire, peu importe la finalité. Je terminais de me peigner, quand un coup donné à la porte me fit sursauter.

« Lisandre, dépêche-toi de venir déjeuner. Si ça continue, tu vas être en retard et ton père ne va pas t'attendre indéfiniment. Il ne va pas se mettre en retard au travail pour ton bon plaisir. Alors, dépêche-toi de sortir de cette salle de bain.

— Oui, oui, j'arrive. »

Je regardais l'heure sur ma montre et elle n'avait pas tort. Dans dix minutes, nous devrions être partis. Au pire, je n'allais pas déjeuner, de toute façon je n'avais pas très faim et plutôt même une sensation de nausée et une boule dans l'estomac.

Dans la voiture, mon père s'aperçut que quelque chose n'allait pas.

« Petit cœur, qu'est-ce que tu as ? Ton premier jour de cours ne s'est pas bien passé ? »

Un surnom qu'il me donnait depuis aussi longtemps que je me souvienne et qui franchirait, encore, ses lèvres sur son lit de mort lorsque je lui rendrais visite pour la dernière fois.

— Non, ne t'inquiète pas papa tout se passe bien et tout va bien. D'ailleurs, je suis désolée de t'avoir parlé ainsi hier. Tu ne le méritais pas.

— Ce n'est pas grave. Mais, s'il y a quelque chose qui te tracasse, j'aimerais que tu m'en parles, d'accord ?

— Oui, papa. Je t'en parlerais si ça ne va pas.

En descendant du véhicule, j'avais la tête qui tournait. Arrivée à la grille de l'établissement, Noémie m'attendait mais mon attention se portait sur le garçon à l'arrière qui était entouré de deux autres camarades. Le garçon même dont j'avais fait la connaissance le jour précédent contre les casiers. Dans la même posture, il se tenait contre le grillage et me fixait par la même occasion. Je détournais vivement le regard, entraînant mon amie dans la cour de récréation.

***

Au cours de la journée, je repensais au garçon et à ce qu'il m'avait dit, ainsi qu'au cauchemar que j'avais fait la nuit dernière. Il m'était compliqué de me concentrer, n'écoutant qu'à moitié les leçons des professeurs. Je gribouillais sur mes cahiers pour passer le temps, sans pour autant avoir grandement envie de rentrer à la maison. Je ne savais pas où je voulais être, mais dans aucun des endroits que j'avais déjà pour obligation de fréquenter, ou de vivre. Par moments, Noémie me sortait de ma torpeur pour me glisser quelques mots qui la faisaient glousser de rire mais ça ne me faisait aucun effet. Je ne l'écoutais pas vraiment et elle ne semblait pas s'en apercevoir. Nous étions en cours de mathématique, notre dernière heure de la journée du mardi. Sans m'en rendre compte, j'avais représenté en bas de mon cahier de géométrie un livre. Du moins, ce qui y ressemblait.

La cloche sonna. Je remballais mes affaires, accompagna Noémie jusqu'à son arrêt de bus et prit le chemin du retour jusque chez mes parents. Mon père finissait sa journée de travail bien après la sortie des cours, mais je n'avais pas le droit de traîner. Sinon, je serais certainement restée avec mon amie jusqu'à ce que son bus arrive mais je risquais dans ce cas d'avoir une scène de la part de ma mère, elle m'aurait dit en rentrant comme quoi j'étais une mauvaise fille qui voulait la faire mourir d'inquiétude. Elle avait calculé le temps qui m'était nécessaire pour faire le trajet entre le collège et la maison et je n'avais le droit à aucun écart.

***

Après le dîner, je m'installais à mon bureau et ouvris mon cahier de géométrie afin d'effectuer les exercices qui étaient demandés pour le lendemain. En ouvrant la dernière page de mon cours pour le relire avant de passer au côté pratique, je retombais sur le livre que j'avais dessiné. Il était sans couleur, réalisé au crayon à papier. J'avais à mes côtés ma trousse de crayon de couleur et en profitais pour colorier mon ouvrage. On aurait dit un rectangle rose figurant au bas de ma feuille quadrillée, mais je savais qu'il s'agissait de plus que cela, sans pour autant pouvoir l'expliquer à l'époque.

Je refermais vivement mon cahier et mon livre d'exercices, décidant de faire mes devoirs plus tard, ou jamais. Ce n'était pas mon genre, mais quelque chose de plus important et essentiel à ma vie m'attendait. Je ne savais pas de quoi il s'agissait, mais mon instinct me disait qu'il fallait que je le découvre. Aujourd'hui, j'aurais tendance à penser que j'avais simplement déjà vu cette couverture rose et que sans que je le sache ma mémoire en gardait quelques bribes, puisque ma sœur avait dû me le partager ou que ma curiosité d'enfant m'avait poussé à braver l'interdit. Sûrement que cela avait refait surface et ce qui ne m'avait pas plus que cela interrogé me perturbait maintenant, avec ce que j'avais vécu ces deux derniers jours. Autant le dire, tout de suite, il s'agissait du journal intime d'Agathe.

J'ai passé ma tête par l'entrebâillement de ma chambre, vérifiant qu'aucun de mes parents ne soit dans les parages. Ma mère devait dormir et j'entendais la télévision, ce qui signifiait que mon père devait regarder une série policière dans le salon. La voie était libre. Regardant de tous côtés, je traversais le couloir jusqu'à la porte de la chambre qui avait été celle de ma sœur et qui demeurerait intacte encore durant de longues années. En posant la main sur la poignée, je repensais à ce qu'elle m'avait dit dans mon cauchemar. Ces mots me revenaient aussi limpidement que si elle était en train de me les chuchoter à l'oreille. J'en avais la chair de poule, mais il n'était pas question de faire marche arrière. Je fermais les yeux, inspirait un grand coup, rouvris mes paupières et clanchait la porte.

J'entrais dans la chambre, allumais la lumière et sans faire trop de bruit, refermais la porte derrière moi. Les volets étaient fermés. Ça me faisait bizarre de me retrouver dans l'espace qui était celui en quelque sorte de la vie intime de ma sœur, avec tout ce qui lui appartenait autour de moi. Il me semblait jusqu'ici, n'y être entrée que quand elle m'y invitait. C'était la première fois que je me retrouvais seule à l'intérieur. Tout avait été laissé disposé, comme la dernière fois qu'elle en était sortie. Je posais ma main sur la chaise de son bureau et me remémorais un de nos innombrables souvenirs.

C'était il y a deux ans de cela, quelques semaines après mon entrée au collège. Le samedi matin, mon père travaillait, lorsqu'il s'agissait d'urgences et ma mère était descendue chez une voisine en contrebas de notre rue. Je bloquais sur un devoir de conjugaison à rendre pour le lundi suivant. J'allais toquer à la porte de la chambre d'Agathe qui se trouvait être entrouverte. C'était une règle fondamentale dans notre foyer, toujours frapper avant d'entrée dans une pièce qui était dédiée à l'un ou l'autre. Avant même d'entendre sa réponse, je jetais un coup d'œil à l'intérieur. Elle était assise devant son bureau, dos à moi et donc dans l'incapacité de me voir. Elle me dit d'entrer, tout en rangeant un carnet à la va-vite. J'entrais et elle m'accueillit avec un grand sourire.

« Ma petite Lisandre, déjà dans tes devoirs de si bonne heure. De quoi as-tu besoin ?

— J'ai un devoir de conjugaison à rendre pour lundi et je bloque sur les terminaisons du futur antérieur. J'aurais juste voulu savoir si tu ne pouvais pas me donner un coup de pouce.

— Tu sais bien que je ne te refuserais jamais rien. Aller, viens poser ton cahier on va voir ce que je peux faire pour t'aider. »

Ma sœur n'avait jamais été très brillante à l'école. Je savais qu'elle trichait aux contrôles sur table et pour les devoirs maison à rendre. Je ne sais comment, elle ne s'était jamais fait attraper par un professeur ou trahir par un camarade et encore moins comment elle avait réussi à intégrer le lycée général. Alors, au bout d'une dizaine de minutes elle détourna mon attention et commença à me faire rire et à me chatouiller laissant de côté la conjugaison. Nous en arrivâmes à faire une bataille d'oreiller. Sur sa commode se trouvait une boîte et sans faire attention dans mon élan je la renversais par terre. Le couvercle vola à travers la pièce et des dizaines de photos s'éparpillèrent sur le sol.

Agathe avait reçu un appareil photo au moment de son quatorzième anniversaire. Elle en avait rêvé durant des mois et au début nos parents étaient plutôt récalcitrants pour lui offrir un objet aussi fragile. Ils avaient fini par céder devant les supplications de leur fille et ils reconnaissaient que c'était une adolescente très soigneuse avec ses affaires. Je pense que c'était un formidable cadeau fort utile. À cette époque, cela faisait plus d'un an qu'elle le possédait et elle ne sortait jamais quasiment sans. C'était une bonne photographe et elle créait des souvenirs pour sa famille et ses amis. Son rêve aurait été de se diversifier davantage dans le domaine et d'être par la suite engagée pour des mariages, des anniversaires ou des photos de grossesses.

Les images sur le parquet étaient sombres. Je ne comprenais pas tout ce que je voyais, mais il y avait de jeunes filles nues et un jeune homme avec une tête de porc. Sur une photo, elles se trouvaient être toutes autour de lui. Elles souriaient toutes de leurs dents blanches. Je me souvenais de ce détail, parce qu'à première vue c'était quasiment tout ce que l'on voyait. Il y avait bien deux ou trois photos plus claires. De jeunes filles, habillées cette fois, étaient assises sur un canapé avec en leur centre un jeune homme. Peut-être, celui à la tête de porc sur les autres clichés m'avait suggéré mon esprit. Devant eux, des bouteilles de vin, de bières, etc. sur une table basse. Mon regard peinait à se détourner, comme hypnotisé.

« Tu aurais pu faire gaffe. Tu as deux mains gauches ou quoi ! »

Agathe ramassa le tout et le fourra dans la boîte, pour la ranger dans le tiroir du bas de sa commode. Je déposais l'oreiller sur son lit qui se trouvait encore entre mes mains et tournais les talons, m'apprêtant à partir, quand la voix de ma sœur retentit à nouveau dans mon dos.

« Je suis désolée, petite sœur de t'avoir parlé sur ce ton. Je sais que tu n'as pas fait exprès de faire tomber mes affaires et ce n'est vraiment pas grave. Tu vois, je me suis emportée pour rien.

— Non, mais tu as raison j'aurais dû faire plus attention. »

Sur ce, je quittais la pièce. Tant bien que mal, je reprenais mes esprits et essayais de chasser ce souvenir. J'ouvrais le premier tiroir de gauche, se trouvant devant moi et par chance tombais sur le carnet rose que j'avais dessiné plus tôt dans la journée sur mon cahier. Je m'asseyais sur le lit qui ne semblait pas avoir été changé depuis le décès d'Agathe, juste refait au millimètre. Ce qui était forcément l'œuvre de ma mère. J'ouvrais la première page de ce carnet, dont la couverture était aimantée. Il y avait sur la première feuille un cliché collé d'elle et de ses deux meilleures amies dans un parc. En dessous, découpée en forme de cœur, une photo de Mathieu, un garçon qui ne quittait jamais ses pensées. Je tournais la page suivante.

« Cher Journal,

Aujourd'hui, c'était mon entrée en classe de quatrième et j'ai plein de choses à te... »

Chapitre 9

Le surlendemain de notre dispute, ma mère vint sonner chez moi. Il est vingt heures et je viens de rentrer de mon cabinet. Je ne m'attendais pas à ce qu'elle se déplace à une heure aussi tardive en semaine, au mieux je l'imaginais passer me voir le week-end et au pire ne pas avoir de nouvelles avant que je me décide à lui passer un coup de fil. Pourtant, quand j'ai décroché l'interphone, c'est sa voix qui s'est fait entendre depuis le rez-de-chaussée de l'immeuble.

« C'est moi, Lisandre. »

Je lui ouvre sans plus tarder. Quelques minutes plus tard, elle est sur le pas de ma porte.

« Entre. Que me vaut cette visite tardive de ta part ?

— Si c'est ce que tu espères, je ne suis pas venue te présenter mes excuses. Je n'ai aucune excuse à te faire, mais étant donné que tu es ma fille quoi que tu puises en penser ou ressentir à mon égard, je me suis dit que je me devais de passer prendre de tes nouvelles.

— Tu n'étais pas dans l'obligation de te déplacer. Il te suffisait de passer un coup de fil et je t'aurais dit que je vais très bien, comme tu peux le constater.

— Tu sais, Lisandre, je suis en colère contre toi après ce que tu as fait. Tu as toujours eu quelque chose contre moi, alors que ton père tu l'as toujours idéalisé. J'ai fait de mon mieux, en tant que mère, sache-le.

— Je t'arrête tout de suite. Je n'ai pas forcément été toujours facile et clémente envers toi, mais jamais tu ne m'as encouragée dans l'autre sens non plus. Te souviens-tu de la dernière fois où tu m'as pris dans tes bras ? Et celle où tu m'as dit, je t'aime ? Parce qu'excuse-moi, mais ça m'échappe…

— Bon, arrête ça tout de suite, où je repars immédiatement.

— Je ne te retiens pas.

— Très bien, pourtant je voulais avoir avec toi une discussion qui aurait peut-être pu un tant soit peu t'apaiser. La vérité t'a tellement toujours été essentielle, même au détriment du respect de la mémoire de ta sœur et de la peine de ton père et de la mienne. »

Elle a déjà ouvert la porte et est bien décidée à s'en aller. Je pense qu'elle aurait même préféré le faire, plutôt que d'avoir cette discussion avec moi. Cependant, ma curiosité est grande et j'ai besoin des pièces manquantes au puzzle de mon adolescence, qui font qu'aujourd'hui je suis encore et toujours quasiment au même stade qu'il y a vingt ans.

« Reste dîner avec moi, ça me ferait plaisir. »

Elle dépose son sac dans l'entrée et s'installe dans le canapé, en pianotant sur son téléphone. Je me mets à préparer le repas, dans le silence. Au moment de passer à table, ni l'une ni l'autre ne décrochons un mot. Seul le bruit des couverts résonne. Ma mère est une femme qui malgré le décès de sa fille, la dépression et son air plutôt austère est restée très coquette. Elle fait attention à la manière dont les autres pourraient la percevoir. Elle a, également, gardé des manières bien à elle comme celle de prendre un coin de la serviette et avec de se tapoter les commissures des lèvres avant de prendre la parole après avoir mangé.

« Je n'avais encore jamais eu l'occasion de goûter à l'un de tes plats, mais je dois reconnaître qu'ils sont très bons.

— Merci, maman. Veux-tu un café ou quelque de chaud à boire ?

— Pourquoi pas. Une tisane. Ce n'est plus tellement l'heure pour boire du café. Ça te dérangerait si on s'installait dans ton canapé pour discuter.

— Non, vas-y. Je te rejoins dès que j'ai mis l'eau à bouillir. »

Je m'installe à peine à ses côtés, qu'elle commence à me parler de souvenirs remontant à il y a un peu plus de vingt ans. Elle me fait l'effet de vouloir se délester de choses qui lui pèsent, mais que cela se fasse rapidement et sans trop de heurts. Qu'il n'y ait pas d'étincelle entre nous s'avère en temps habituel très compliqué, voire impossible, mais je suis prête à fournir des efforts, ce soir-là. Elle a besoin de se confier, de partager avec quelqu'un ce que jusqu'ici elle ne partageait qu'avec son époux qui n'est maintenant plus là. Elle se retrouve seule avec ses souvenirs et ses secrets. Je sais que pour elle c'est tout de même très compliqué de réaborder tout cela, du moins avec moi et au risque de ternir l'image de sa fille aînée. Les non-dits nous ont éloignés et un abcès n'a cessé de grossir. J'étais une adolescente colérique et qui ne mâchait pas ses mots, il est vrai sans me soucier de la manière dont les autres allaient les recevoir. Elle, elle était une mère blessée, abîmée et secrète. Déjà, depuis qu'Agathe et moi étions petites, nous ne savions quasiment rien de la vie de notre mère avant sa rencontre avec notre père si ce n'est qu'elle a un frère et des parents auxquels elle n'adresse plus la parole depuis bien longtemps. Jamais elle n'a entretenu de réelles discussions avec l'une de nous deux. Elle nous a bien élevés, elle nous a expliqué ce qu'une jeune fille devait savoir concernant son corps en temps voulu et ça s'arrêtait là. Elle était cordiale, mais pas chaleureuse et il en était de même en public avec son époux. Après la mort d'Agathe, elle et moi nous ne sommes plus parlées que par cris interposés.

« Je me souviens combien ce garçon t'avait obnubilé... enfin, tu comprends je ne veux pas dire qu'il te plaisait le moins du monde, puisqu'il t'effrayait plus qu'autre chose. Tu en as fait des cauchemars toute l'année de ta quatrième, jusqu'à l'été. Ensuite, il est allé au lycée où tu devais te rendre l'année suivante, mais j'ai demandé à ton père si nous ne pouvions pas te trouver un autre établissement. Finalement, ses parents ont déménagé alors nous n'avions plus à nous en faire pour cette histoire et espérions que tu oublierais bien vite.

— Attends, comment as-tu pu savoir dans quel lycée il était allé et que ses parents avaient déménagé ?

— Pour une fois, laisse-moi terminer Lisandre. Ce garçon était venu impunément te menacer et ensuite, tu as fouillé dans la chambre de ta sœur et tu as trouvé ces photos d'une nature sans nom sur lesquels tu nous as interrogés comme si nous étions les coupables. À l'époque, ton père et moi nous étions mis d'accord sur le fait que cela ne te concernait pas et que tu n'avais pas besoin d'en savoir davantage. Nous avons fait du mieux que nous avons pu pour que tu puisses grandir sans trop pâtir de la réputation que s'était faite ta sœur, au même âge. Es-tu certaine de vouloir savoir ce qu'il y avait derrière ces photos ? »

Elle ignore bien des choses que j'ai pu apprendre sur la vie de ma sœur, jusqu'à ce que j'abandonne mes recherches l'année de mon baccalauréat, étant concentrée sur le choix de ma poursuite d'étude et où j'allais l'effectuer. Cependant, de ce côté-là j'avais laissé tomber après que mon père m'avait défendu de m'en mêler. C'était rare qu'il hausse le ton, mais cette fois-là quand j'étais revenue à la charge une deuxième fois il m'avait clairement fait comprendre que je me mêlais de ce qui ne me regardait pas. Autrefois, je redoutais ce que je cherchais à découvrir mais maintenant, j'ai juste besoin de savoir pour mieux cerner celle qui a été ma sœur bien que je pense que je ne le saurais jamais véritablement.

« Oui, j'en suis certaine.

— Le garçon qui t'avait menacé avait un rapport indirect avec ces photos que tu avais trouvées dans cette boîte. Il y avait de jeunes filles, ta sœur derrière l'appareil et… Quand je pense que c'est nous qui lui avions acheté…

— Continue, s'il te plaît, maman. »

Dans un geste, que je n'ai pas partagé avec elle depuis l'enfance je pris ses mains dans les miennes. Elle me sourit presque tendrement et elle reprit le cours de son récit.

« Le jeune homme, figurant parmi elles, était le frère aîné du garçon qui t'avait menacé. Les frères Masson, Charles et Arthur. Charles était un jeune plutôt marginal à l'époque et renfermé. Il n'avait pas vraiment d'amis et il avait le béguin pour ta sœur depuis la sixième. Elle avait tendance à le taquiner… à le ridiculiser, devant leurs camarades, me dit-elle en baissant les yeux. Ta sœur avait tendance à ne pas saisir que ses farces pouvaient blesser ceux qui en étaient victimes. Je ne pense pas qu'elle voulait véritablement lui faire du mal. Elle a reconnu être l'investigatrice de la soirée qu'elle a organisé dans le garage des parents de l'une de ses amies. Elle nous avait dit, à ton père et moi-même, qu'elle allait bien chez cette amie mais pour une soirée pyjama entre filles. Seulement, elle avait, également, invité Charles à leur soirée. Il a dû se trouver flatté, tout d'abord, en arrivant de se retrouver entouré de jeunes filles à moitié dénudées. Elles l'ont fait boire, ce à quoi il n'était pas habitué et, malgré ses protestations, elles se sont adonnées sur lui à des jeux sexuels, dit-elle en explosant en sanglots.

— Que s'est-il passé ensuite ?

— Dès la semaine suivante, une bonne partie des élèves, des professeurs et des parents de l'établissement étaient déjà informés de cette histoire. L'une des filles a envoyé les photos et les vidéos à une partie de ses contacts, qui l'ont à leur tour partagé, etc. Enfin, tu imagines ce que ça a donné. Dès le lundi matin, ta sœur et les autres filles étaient convoquées au commissariat. Les parents du garçon ont porté plainte, mais j'ai réussi à la leur faire retirer. Quelques jours après la déposition de ta sœur, je suis allée chez ses parents. J'ai forcé Agathe à m'accompagner. Je leur ai dit que toutes les traces de cet incident seraient supprimées, que notre fille se tiendrait à l'écart de leur fils, qu'il y aurait des sanctions et que de toute façon elle pâtirait de ce qu'elle avait fait qu'elle le veuille ou non et je leur ai donné un peu d'argent. Ils ont retiré leur plainte.

— Comment ai-je pu passer à côté de tout cela, alors que je vivais sous le même toit que vous trois et que nous avons toutes les deux fréquenté le même collège durant une année ?

— Nous avons tout fait ton père et moi, pour étouffer l'affaire au plus vite et Agathe avait pour interdiction de t'en toucher le moindre mot. Tu sais, elle en était peu fière. Elle n'était pas l'unique coupable, mais la majeure partie de la faute a été rejetée sur elle. Elle a souffert de cette erreur jusqu'à ce qu'elle quitte le collège. C'était l'anecdote que tout le monde racontait, avec des détails plus farfelus les uns que les autres, à chaque nouvel élève. Finalement, peu importait la réalité pour tous ces jeunes, tant qu'il y avait de l'adrénaline et du sexe.

— Maintenant, que tu me le dis je comprends mieux pourquoi le reste de son année scolaire de quatrième elle a passé ses week-ends entiers à la maison mais également la raison pour laquelle elle ne voulait pas que l'on nous voie ensemble à l'intérieur de l'établissement ou à proximité.

— Exactement. Pourtant, avant que tu ne brandisses devant nos yeux ces photos quelques mois après son décès, j'ignorais qu'elles les avaient fait développer et garder. »

Je la prends dans mes bras. Il me semble presque que c'est la toute première fois. Ces révélations font naître en moi d'autres questions. Finalement, ma mère comme mon père avaient été prêts à tout pour protéger leur fille qui était coupable, en allant jusqu'à faire transiter de l'argent. D'un autre côté, il ne l'avait pas changé d'établissement scolaire. Je ne suis pas mère, je ne sais pas ce que je serais prête à faire pour mon propre enfant, mais certains éléments me rendent confuse.

« Maman, pourquoi ne pas avoir changé Agathe de collège, pour sa dernière année avant son entrée au lycée ?

— J'ai voulu lui trouver un autre établissement, mais son dossier scolaire n'était pas très bon et au bout de quelques semaines ton père a décidé qu'elle devait assumer ses erreurs jusqu'au bout, que nous lui avions déjà évité les poursuites judiciaires et que si cela se reproduisait il ne lèverait pas le petit doigt pour lui venir en aide, bien qu'elle soit sa fille. De plus, lui comme moi avions mis comme condition qu'elle obtienne la moyenne jusqu'à la fin de la troisième pour pouvoir intégrer un lycée général, sinon elle aurait eu le droit de redoubler et d'aller en internat. »

Cette fois, c'est moi qui retiens mes larmes. Je comprenais en partie mon père et à la fois, je ne l'aurais jamais pensé capable de tenir un tel discours.

« Oui, ton héros n'était pas exempt de colère et jugement. »

La nuit est tombée. Il est plus de vingt-deux heures. Ma mère se lève et me dit qu'il est temps qu'elle rentre chez elle. Je lui propose de la raccompagner en voiture. Elle me dit que je travaille demain, tandis qu'elle a tout son temps libre pour se reposer d'autant plus que maintenant elle n'a plus aucune obligation. C'est comme si elle me disait que sa vie n'avait plus de sens, mais depuis la mort récente de mon père ou de celle d'Agathe. Elle prendra le bus. Je lui demande de me laisser au moins un texto lorsqu'elle est arrivée. Elle me le promet.

***

Après avoir pris ma douche, encore dans mon peignoir, je consulte mon portable avant de le mettre comme chaque soir sur le mode avion et de revêtir mon pyjama avant d'aller dormir. Ma mère me disait il y a une dizaine de minutes auparavant qu'elle était bien rentrée. Je la remercie d'avoir passé la soirée à mes côtés et lui demande si à l'époque, elle et papa avaient véritablement des revenus assez suffisants pour acheter le silence des Masson, bien que je ne le lui aie pas formulé de cette manière.

Chapitre 10

Des bruits de pas résonnèrent dans l'escalier et le bruit de la télévision ne me parvenait plus. Je regardais le journal intime d'Agathe au creux de mes mains et décidais de l'emporter. J'éteignis la lumière, refermant délicatement la porte derrière moi et retournais en vitesse dans ma chambre, tout en faisant attention à ne pas faire trop de bruit. Quelques instants après avoir regagné celle-ci, j'entendais mon père traverser le couloir. Il fallait que je trouve un endroit où cacher le journal, un endroit que ma mère n'était pas susceptible de trouver en rangeant mon linge ou en faisant le ménage. J'en vins à me dire que le mieux était de le mettre dans le sac à dos que j'utilisais pour aller en cours. Ainsi, il serait toujours sous mon œil attentif.

***

Les soirs des semaines suivantes, je montais en vitesse dans ma chambre juste après avoir dîné. Une fois, mon père m'a demandé ce qui m'attendait aussi promptement, je lui ai dit que j'avais des devoirs maison à rendre urgemment et qu'avec toute la masse de travail que les professeurs nous donnaient, j'avais pris un peu de retard. Il ne m'a plus rien demandé par la suite, jusqu'à ce que lui et ma mère soient convoqués par ma professeure principale.

En attendant, chaque soir je lisais quelques pages. Elle écrivait quelques fois par mois. Au début, il s'agissait surtout pour elle de décrire son entourage et ses amourettes. Un peu, comme si, elle faisait les présentations. Elle trouvait ses deux parents assez lourds, en permanence. Je me suis dit que ce devait être l'adolescence et je n'en pensais pas moins la plupart du temps, surtout vis-à-vis de notre mère. Elle parlait de ses amis, de ceux dont j'avais déjà connaissance et d'autres dont j'ignorais l'existence. Surtout, un garçon qui semblait être plus âgé qu'elle puisqu'elle signifiait bien qu'elle ne l'avait pas rencontré au collège et qu'il n'y allait plus depuis longtemps. Quant à moi, elle me décrivait comme étant une petite sœur sage et disciplinée, un peu trop à son goût et que par moments elle m'enviait. Il lui était arrivé de m'en vouloir d'être aussi aimé, alors qu'en apparence je ressemblais à un vilain petit canard. Une fois, en bas de ses premières pages, elle ajoutait que c'était peut-être pour cela qu'elle m'aimait autant, parce que j'étais aimée pour ce que j'étais, que je ne cherchais jamais à être quelqu'un d'autre et que je semblais me contre fiche de l'avis des autres. Il est vrai que nous étions aux antipodes, l'une de l'autre.

Après avoir lu ces lignes, je me tournais vers le miroir en pieds incrusté dans mon armoire pour m'examiner. « Un vilain petit canard », « qu'elle aime tant », qu'elle disait. J'avais des rondeurs et de l'acné, mais au point d'être laide quand même pas. Elle disait aussi m'aimer et avoir une certaine admiration pour ma personne, n'était-ce pas le plus important ? Je ne savais pas trop quoi en penser, parce que je ne m'étais jamais figuré qu'il était possible que la personne que j'admirais fût aussi celle qui m'admirait. Ça me gonflait d'une certaine fierté, tout en me peinant de n'avoir pu le savoir avant.

Plus loin, elle évoquait à nouveau le garçon qu'elle n'avait visiblement à ses dires pas rencontré au collège, mais par le biais d'amis-d'amis et lui consacrait même deux pages entières. Il s'appelait Antoine et je ne pouvais pas ne pas saisir qu'il était guitariste et faisait partie d'un petit groupe de rock fondé avec des amis, à lui. Il semblait ne pas faire grand-chose d'autre de sa vie, pas d'études, pas de travail. Il vivait chez ses parents, du moins rien ne prétendait le contraire et c'est ce que je me suis dit quand elle précisait qu'ils se voyaient toujours en ville. Quelques lignes plus tard, j'ai compris qu'il avait plus de dix-huit ans étant donné qu'il conduisait et venait même quelquefois la chercher avec sa propre voiture devant le collège. Ma sœur ne devait pas avoir plus de treize ans à l'époque, jamais mes parents n'auraient accepté qu'elle ramène à la maison, ni même ne côtoie un garçon aussi âgé et qui ne semblait pas avoir de projets concrets et réalisables dans la vie.

Durant l'été, avant son entrée en seconde, le garçon disparaissait de ses écrits. Pour un journal intime, je ne la trouvais pas très bavarde dans le sens où elle extrapolait beaucoup sur ce qui lui plaisait, ce qui la mettait à son avantage, mais peu du reste. Elle disait qu'ils avaient eu une dispute et que ce n'était qu'un connard sans lequel elle se porterait mieux. J'ai eu tout de suite envie d'en savoir plus, mais je voulais avant tout terminer ma lecture. Je prenais des notes à côté, sur un calepin, pour voir ce que je pourrais tirer des informations qui m'avaient interpellé. Quelques jours après sa rentrée au lycée, elle évoquait pour la première fois Mathieu. Elle le décrivait comme un beau garçon brillant d'esprit et de bon sens. Il était populaire tout comme elle, aucun doute là-dessus, mais entre les lignes il me semblait comprendre que leur popularité n'était pas du même ressort.

J'interprète les choses de cette manière, aujourd'hui, quand je repense aux faits de l'époque. Cependant, je ne peux m'empêcher de me dire que ce n'est que le journal intime d'une toute jeune fille qui manquait de recul sur sa vie pour pouvoir être objective dans ce qu'elle écrivait. Il nous est tous arrivé d'aimer quelqu'un et d'avoir l'impression de le détester dans la même journée sous l'impulsion de nos émotions et des aléas de la vie qui ont un impact sur nos relations.

J'étais à un peu plus de la moitié du journal intime et voilà quelques semaines qu'Agathe était devenue lycéenne, quand mon père entra dans ma chambre sans frapper. Je cachais tant bien que mal le carnet sous mes bras. J'allais protester, mais en voyant l'expression sur son visage qui côtoyait la fatigue et la déception, je m'étais abstenue.

« Lisandre, nous avons rendez-vous demain à dix-huit heures avec ta professeure principale. Je ne devais pas rentrer à la maison avant vingt heures, mais je me suis arrangé avec mon patron pour terminer plus tôt ce jour-là et rattraper les heures manquantes la semaine prochaine. J'espère ne pas regretter de t'avoir fait confiance ces dernières semaines quand tu me disais travailler sérieusement tous les soirs, dans ta chambre.

— C.O.N.V.O.Q.U.E.S, dis-je comme si j'épelais chaque lettre, mais pour quoi faire ?

— Ce serait peut-être plutôt à toi de me le dire, tu ne crois pas ?

— Bah… mais… je ne sais pas.

— Nous verrons bien. En attendant, passe une bonne nuit, ma fille. »

***

Le lendemain, j'étais rentrée après mon dernier cours qui s'était terminé à seize heures. Il n'y avait que ma mère à la maison, mon père avait prévu de nous rejoindre directement sur le parking se situant devant le collège. Après avoir goûté, j'ai voulu m'en aller dans ma chambre mais ma mère m'a intimé l'ordre de rester dans le salon pour qu'elle n'ait pas à me chercher au moment où nous allions partir. D'après elle, je pouvais très bien effectuer mes devoirs dans cette pièce ainsi elle pourrait vérifier si je bâclais mon travail ou si j'avais de réelles difficultés. En réalité, ni l'un ni l'autre. J'avais encore dans mon sac à dos, le journal intime d'Agathe. De plus, elle allait directement à la conclusion qu'il s'agissait d'un souci concernant mon travail personnel avant même que la réunion ait eu lieu.

Elle était occupée dans la cuisine, ne jetant un coup d'œil que de temps en temps. J'en profitais donc pour alterner mes devoirs et la poursuite de ma lecture du journal. J'avais calé le journal entre les pages de mon livre d'exercices et d'études de textes de français, c'était le seul assez conséquent capable de masquer le carnet. Quand tout fut terminé, je me suis rendu compte à quel point le journal intime de ma défunte sœur était devenu pour moi une véritable obsession. Je ne me reconnaissais plus. J'en étais venue à mentir et feinter aux yeux de tous, pour le foutu carnet d'une adolescente. Tout ça, parce que je voulais savoir toute la vérité, sans réellement savoir ce que je cherchais, ni de quoi il s'agissait et en étant moi-même incapable de maintenir la vérité.

On se rendit à pied jusque devant l'établissement, puisque mon père allait déjà arriver avec sa voiture. Ainsi, cela évitait de consommer de l'essence dans les deux véhicules alors qu'il suffisait de faire quelques minutes de marche. Ma mère et moi n'échangeâmes pas un mot durant le trajet. Le mois d'octobre s'était installé. Sur le parking, le soleil se couchait et le ciel avait pris des teintes orangées. On a attendu une dizaine de minutes, avant que mon père arrive dans la précipitation à dix-huit heures moins trois. Du moins, c'est ce qu'indiquait la montre de ma mère. Il s'est précipité, la chemise débraillée et la veste à moitié enfilée. Il a voulu embrasser ma mère, mais elle s'est vivement détournée intimant qu'ils étaient attendus d'une minute à l'autre.

Je me retrouvais assise, sur la chaise d'une salle de classe, entre mes deux parents. En face de nous se trouvait ma professeure principale, qui nous adressait un large sourire. Je me sentais vraiment toute petite entre ces adultes et j'avais surtout très envie de n'avoir jamais mis les pieds dans cette salle. Elle se présenta elle et son enseignement. Elle dit que j'étais une élève agréable et qu'elle me savait en temps habituel appliquée, puisqu'elle m'avait déjà eu en tant qu'élève dans sa matière l'année précédente. Cependant, elle me trouvait distraite depuis le début de cette année scolaire. Elle jeta un coup d'œil à la feuille se trouvant devant elle sur la table, avant de revenir vers nous.

« Ses notes sont également en chute libre, dit-elle en me regardant. Lisandre, je sais que ce n'est pas ton genre de ne pas travailler alors j'aimerais comprendre ce qui se passe. Je sais, également, que l'été dernier n'a pas été facile pour ta famille et toi, mais est-ce que nous pourrions t'aider d'une manière ou d'une autre ?

— Je n'ai pas besoin de votre aide ni de celle de qui que ce soit, sur ce ma mère commença à sangloter.

— Madame, ce n'est pas une fatalité, vous savez. Votre fille peut très bien se rattraper sur le deuxième et le troisième trimestre de l'année. J'en suis même certaine. Lisandre, je pense que cela te ferait du bien de rencontrer la psychologue de l'établissement scolaire. Je vais essayer de t'avoir un rendez-vous assez rapidement.

— Je vous ai dit que je n'avais pas besoin de votre aide. Il faut vous parler en quelle langue pour que vous compreniez ? Pour que vous me fichiez la paix et cessiez tous d'être sur mon dos.

— Lisandre, tu vas t'adresser sur un autre ton à ta professeure, dit mon père en se levant de sa chaise. »

J'avais haussé le ton sous le coup de la colère et d'un trop-plein d'émotion, mais je n'en pensais pas moins la moitié. Une fois que papa se fut levé alors que maman pleurait à chaudes larmes, la professeure a dit qu'il serait mieux d'interrompre la réunion et que la famille devrait réfléchir à une thérapie, s'ils voulaient que je poursuive mon année scolaire plus sereinement. Elle a pris ses affaires et quitté la salle, avant même que nous en franchissions la porte. Mon père la suivit de peu. J'ai attendu ma mère. Sur le trajet du retour, mon père roulait trop vite, mais personne n'a pris la peine de le lui faire remarquer.

Arrivés à la maison, j'ai monté l'escalier et je me suis réfugiée dans ma chambre en prenant soin de fermer ma porte à clé. Quelques minutes s'écoulèrent avant que mon père ne vienne toquer. J'étais assise juste de l'autre côté. Il me disait qu'il voulait que nous discutions lui et moi. Je réfléchissais à ce que je voulais lui dire, pas grand-chose, mais dans ma tête de jeune adolescente de treize ans et demi il fallait que j'agisse. Je lui ouvris la porte, tendant devant moi le journal intime d'Agathe. J'avais terminé de le lire et de prendre les notes qui m'étaient nécessaires, avant que nous nous rendions à la réunion.

« Lisandre, que fais-tu avec… avec le journal intime de ta sœur ?

— À ton avis.

— Tu l'as lu dans sa totalité ?

— Oui, mais ce n'est pas vraiment pour cela que je t'ai autorisé à rentrer. Un garçon est venu me menacer en début d'année. Il semblait surtout en avoir après Agathe et comme je suis sa sœur, il ne fait aucune différence.

— Pourquoi, n'es-tu pas venue en parler plus tôt à ta mère ou à moi ? Voyons, Lisandre, nous sommes à ton écoute et cela aurait empêché que tu te retrouves à pénétrer l'intimité de ta sœur. D'ailleurs, ne dis surtout pas à ta mère que tu t'es retrouvée en possession de ce carnet à un moment donné.

— Qu'est-ce que ça changerait ? Si je comprends bien, vous semblez l'avoir déjà lu pour savoir qu'il s'agit de son journal intime ?

— Là, n'est pas la question, mon enfant. Je comprends que tu puisses te poser des questions et chercher des réponses, mais tu ne trouveras rien. Nous ne te cachons rien. Agathe est morte, c'est tout et nous sommes tous déboussolés par cette tragédie. Ma fille aînée est partie beaucoup trop tôt, c'est une douleur que je traînerais jusqu'à la fin de mes jours, mais je ne veux surtout pas que ma seconde fille s'attelle aussi à porter un tel fardeau. Je ne te le dirais pas deux fois, Lisandre, tu as ta vie à construire alors concentre-toi là-dessus. Tu comprendras bien assez vite que dans la vie tout n'est pas tout blanc ou tout noir. Je suis juste un père qui aime énormément ses deux filles et qui tente de les protéger. »

Chapitre 11

Le lendemain matin, alors que je prends mon petit déjeuner, je reçois un message de la part de ma mère. C'est une réponse à mon message de la veille. Une réponse, qui me laisse dubitative. Elle me dit qu'il y a bien des choses que j'ignore encore et que l'argent n'était pas véritablement le leur. J'en déduis qu'il ne devait pas du tout leur appartenir et qu'elle ne semble pas vouloir m'en donner la provenance.

Je pars au travail, la tête déjà trop pleine. Il fait beau et je sens que je vais rapidement étouffer dans les vêtements que j'ai revêtus aujourd'hui. Durant la matinée, je peine à me concentrer uniquement sur mes patients. À ma pause-déjeuner, je n'y tiens plus et me décide à répondre au message de ma mère. Je lui demande, si elle sait d'où provient l'argent. Il me faut attendre le soir, pour avoir à nouveau de ses nouvelles. Elle me dit qu'elle sait, mais qu'il vaudrait mieux que je m'adresse à Antoine Rougeron pour connaître l'histoire. Ma première réaction est de lui demander s'il est toujours vivant. Ce à quoi, elle me répond que je peux le constater par moi-même en recherchant son profil Facebook.

Ni une, ni deux, je saute sur mon ordinateur. J'entre mes identifiants pour me connecter à ma page Facebook et pars à sa recherche. Il a quelques homonymes, mais rapidement je le trouve grâce à sa photo de profil. Il a pris vingt ans dans les dents, mais je ne pourrais pas ne pas le reconnaître. Il a des cheveux plus poivre et sel que noirs, comme autrefois, mais il est toujours aussi maigre. Il porte sur ses genoux deux petits garçons, avec qui il a un air de famille. J'en déduis, assez rapidement, que ce doit être sa progéniture. En 2003, il avait vingt et un ans, ce qui fait qu'il a aujourd'hui quarante et un ans. Le temps a filé et son visage en garde les stigmates. Ses excès lui ont surtout laissé des marques. Il y a vingt ans, j'avais été à sa rencontre à la suite de mes prises de notes. J'étais une gamine devant un jeune homme. Je ne faisais pas le poids. C'était un junkie violent, qui m'avait impressionné avec sa bande de copains. J'avais déguerpi sans demander mon reste et peu à peu, je l'avais quasiment oublié. J'en étais même venue à imaginer qu'il devait être mort d'une overdose, en prison pour avoir dealé ou pour avoir causé des blessures à l'arme blanche. Seulement, voilà qu'il est bien vivant, qu'il s'est reproduit et cette fois je n'ai pas le droit de reculer sinon je peux dire adieu à l'idée d'obtenir toute réponse à ce sujet.

Je m'attarde sur son profil Facebook. Il a une soixantaine de personnes dans sa liste d'amis, principalement de la famille et des amis du même milieu social que lui. Il a principalement des photos de sa femme et lui, une petite blonde, fumeuse d'après ses dents, ses enfants et lui, ainsi que des farces de mauvais goût entre copains avec des images plus dégoûtantes les unes que les autres. Je remarque, également, qu'il a travaillé à plusieurs endroits ces derniers mois. Principalement, dans des usines ce qui signifie qu'il doit faire de l'intérim. Leurs fils ont neuf et sept ans, ils s'appellent Kylian et Dylan. Je pense que si jamais un jour le Saint-Esprit m'accorde d'être mère, jamais je ne donnerais des prénoms aussi beaufs et catégorisés de seconde zone à ma descendance. En tout cas, il semble avoir mis son passé de dealeur et de consommateur derrière lui, ce qui est plutôt une bonne chose.

Il est plus de minuit, quand je prends note de son adresse avant d'aller dormir. Il me reste deux journées de boulot avant d'être en week-end. Deux jours, qui me paraissent interminables. Le samedi, en milieu d'après-midi, je me rends à l'adresse qu'il a indiquée sur son profil Facebook. Je me retrouve à arpenter des allées de logements sociaux. Je finis par arriver au numéro indiqué, le vingt-six. Je me gare le long du trottoir et m'approche du grillage. Des jouets d'enfants jonchent la pelouse, ainsi que des chaises et une table en plastique. Je traverse la cour et sonne à la porte, non sans appréhension. J'ai une boule logée dans la gorge et les mains qui tremblent.

La femme blonde qui figure sur les photos vient m'ouvrir la porte. Elle me regarde de haut en bas, avant de me saluer et de me demander la raison de ma venue.

« Je voudrais voir Antoine, est-ce qu'il est là ?

— Oui, mais qu'est-ce que vous lui voulez ?

— C'est une longue histoire, datant d'il y a vingt ans.

— Vous êtes une ancienne petite amie qui vient se venger, c'est ça ?

— (Rire) Pas du tout.

— (Crie) Antoine, il y a une femme qui veut te parler.

— Qui est-ce ? Bon, j'arrive ! »

Il arrive dans l'encadrement de la porte. En quelques secondes, tout semble lui revenir. Me voir, a l'air de lui faire l'effet d'un électrochoc comme si sa vie défilait tout à coup sous ses yeux.

« Chérie, va voir les enfants s'il te plaît, il faut que je discute avec elle. Ne t'inquiète pas, ça va vite être réglé. »

J'avale ma salive de travers. Pendant ce temps, sa compagne s'éloigne sans oublier de jeter un regard noir dans ma direction. Il s'avance, je recule machinalement et il referme la porte derrière lui avant de m'empoigner par le bras et de me conduire à ma voiture. Là, il arrache les clés que j'avais laissées dans mes mains et il ouvre ma portière avant.

« Tu oses revenir me voir après tant d'années, mais je n'ai toujours rien à te dire. Alors, tu vas plus t'approcher de ma baraque, ni de ma femme et de mes gosses et tu vas gentiment rentrer chez toi. Je suis clean. Je ne pose plus de problèmes à personne, mais toi tu restes une petite emmerdeuse à ce que je vois.

— Je ne suis pas venu par rapport à la drogue, dans laquelle tu as entraîné ma sœur, mais pour l'argent que mes parents ont utilisé pour réparer certains de ses dérapages.

— De quoi tu me parles ? Quel argent ?

— Ma mère m'a récemment dit qu'ils avaient détenu de l'argent qui n'était pas le leur et que tu étais celui qui serait le plus à même de me donner des réponses.

— Demain à dix-sept heures, tu me rejoins au 32 rue de l'Empereur. On ne peut pas parler de cela, ici, me dit-il en regardant tout autour de lui. Ça pourrait me causer des problèmes. Les merdeux de voisins ont toujours les oreilles qui traînent. »

Durant le trajet pour rentrer jusque chez moi, je me répète en boucle l'adresse qu'il m'a donnée. Essoufflée, d'avoir monté les marches en courant, je saute sur le premier post-it que je trouve. J'allume mon ordinateur, pour découvrir qu'il m'a donné rendez-vous dans un bar.

***

Le lendemain, je me rends à l'adresse du bar qu'il m'a indiqué, à l'heure qui l'arrange. Être célibataire et sans enfant à cet avantage-là, ne pas avoir à justifier où l'on va quand il y a des affaires délicates et personnelles à régler. Je n'ai pas d'heure pour rentrer, pas de charge mentale qui s'étend dans le temps. Parfois, ça me questionne sur ce que je veux faire des années à venir et d'autres fois, comme aujourd'hui, j'en suis soulagée. Cependant, à son arrivée il me rappelle que même lui, un garçon plutôt mal parti dans la vie, a une femme et des enfants.

« Excuse-moi, j'ai été un peu retardé par un souci avec l'un de mes fils.

— Rien de grave, j'espère ?

— Non, t'inquiète. Euh… tu as déjà commandé ?

— Non, je t'attendais. Mais, je prendrais bien un café.

— OK, moi aussi. Serveur ? »

Le blanc de nos yeux est le seul paysage que nous contemplons, jusqu'à ce que nos commandes soient servies. De temps en temps, il se gratte la barbe et me sourit bêtement. Je ne dis rien, restant impassible, comme j'ai toujours si bien su le faire. À vrai dire, il n'a plus l'air d'avoir grand-chose à voir avec le jeune homme qui m'avait aboyé dessus, autrefois. Il semble calme, posé et même davantage mal à l'aise que moi de me faire face.

« Je veux déjà que tu saches que je reconnais avoir fait beaucoup de conneries dans ma jeunesse. Maintenant, j'essaie de filer droit pour mes fils, mais je suis peu fier de ce que j'ai fait par le passé. Je redoute tellement le jour où je me devrais de le leur dire. Il est vrai qu'avec ta sœur on ne s'est pas seulement drogués et que j'ai été irresponsable envers une mineure, mais au départ je ne l'ai pas obligé et j'étais même plutôt contre. Je l'aimais, je te jure, alors je l'ai suivi pour protéger ses arrières.

— Tu étais plutôt contre quoi ?

— Y'a des samedis soir quand ta sœur prétendait aller chez ses copines, elle me rejoignait et on allait se shooter avec des amis, d'amis. Un jour, il y avait un mec que je ne connaissais pas qui s'est pointé, c'était l'un des potes du gars qui nous accueillait chez lui ce soir-là. Il n'arrêtait pas de regarder Agathe, je le voyais bien. Il a fini par se rapprocher et lui a chuchoté quelque chose à l'oreille. Son expression est devenue intéressée. Je lui ai demandé ce qu'il lui avait dit et avant même qu'elle ne me réponde, il m'a dit que j'avais là une jolie copine qui pourrait gagner de l'argent pour quelques services auprès de mecs qu'il connaissait. J'ai tout de suite compris. »

Il se met à contempler le vide, comme si plus rien autour de lui n'existe. Il me semble avoir compris, mais j'ai besoin de m'en assurer.

« Qu'as-tu compris ?

— Sur le retour, en la ramenant chez vos parents, je lui ai demandé si elle était sérieuse quand elle avait dit au gars que ça l'intéressait. Elle m'a dit qu'elle avait besoin d'argent de poche et qu'elle était libre de faire ce qu'elle voulait de son corps. J'ai eu beau lui dire qu'elle avait à peine quatorze ans, que c'était puni par la loi et qu'une fois commencé il était dur de s'en défaire, sa décision était prise. La semaine suivante, je la conduisais au bas d'un immeuble chez son premier client.

— Tu es en train de me dire que ma sœur s'est prostituée ?

— Oui. Je suis désolé de ne pas l'en avoir empêché.

— Ce n'est pas possible…

— C'est la vérité.

— Tu sais combien elle s'est fait d'argent ? Combien de temps ça a duré ?

— Ça a duré quelques mois. Une fois, ça s'est mal passé avec un type et à partir de là, elle a décidé de tout arrêter. Elle a dû se faire pas loin des deux mille balles, après je n'en sais trop rien parce qu'on ne parlait pas trop de ça.

— Il s'était passé quoi avec le dernier homme ?

— Je ne sais pas. Elle n'a pas voulu m'en parler. J'ai insisté et elle m'a dit que j'étais un looser, qu'elle n'avait pas besoin de moi dans sa vie. C'est la dernière fois que je l'ai vu. J'ai bien essayé de la joindre, plusieurs fois je suis passé en voiture devant chez vos parents, mais elle ne m'a plus jamais donné de nouvelle. »

J'étouffe dans ce bar, il faut que je sorte. Je quitte la table. Antoine me suit, sur le trottoir.

« Je suis désolé, tu sais. Désolé, d'avoir entraîné ta sœur là-dedans. J'ai été très triste en apprenant sa mort et ça me fait toujours mal quand j'y pense. Je me sens toujours d'une certaine façon coupable. Elle était, également, la première fille dont je suis réellement tombé amoureux. Ce n'était pas une mauvaise fille, mais elle n'a pas fait les bonnes rencontres et j'aimerais pouvoir retourner en arrière pour la protéger au risque de la perdre à nouveau mais pas pour les mêmes raisons.

— Je sais. Seulement, tu n'as pas pris les décisions à sa place et tu ne l'as pas tué. Rentre chez toi, va voir ta femme et tes enfants. Prends soin d'eux, dis-leur que tu les aimes. C'est tout ce que tu peux faire, tout ce qu'il y a, à faire. Si jamais il y a un Dieu, il doit penser que tu as déjà été assez puni. »

Il m'a remercié et s'en est retourné. J'ai un peu flâné dans les rues, avant de rentrer. Une fois arrivée dans mon appartement, je constate que j'ai un message vocal sur mon téléphone. Ma mère a essayé de me joindre deux fois. Je préfère l'écouter tout de suite, pour être tranquille après et prendre une douche. Durant les premières secondes, elle tente de maîtriser ses sanglots.

« J'aurais dû porter plainte à l'époque, mais j'avais peur, comme si tout allait devenir réel si nous le faisions. Ton père lui a fait jurer de n'en parler à personne et de ne plus jamais remettre les pieds là-dedans. Je m'en veux de ne pas m'être plus préoccupée de ce que ressentait ma fille, de son état, mais à cette époque avec ton père notre couple battait de l'aile. Il bossait beaucoup et davantage quand il a appris que j'avais une liaison avec un autre homme et que j'en étais amoureuse. »

Le reste du message est incompréhensible, se confondant dans des gémissements et des excuses.

Chapitre 12

Agathe,

Dans quelques semaines ton père et moi, allons faire ta connaissance. Nous t'avons tant désiré. J'ai l'impression que personne d'autre sur cette terre ne peut être plus heureux que moi, que nous, depuis le jour où nous avons pris conscience de ta présence. J'ai quelques appréhensions, quant à la mère que je serais n'ayant eu pour modèle que la mienne qui n'avait pas choisi de l'être et qui ne cessait de nous le répéter à mon frère et à moi. De toute façon, il y a peu de chances que tu connaisses tes grands-parents de ce côté, ni même ton oncle qui a choisi de couper les ponts avec toute sa famille. Moi-même, je ne l'ai pas vu depuis plusieurs années. J'ai bien eu des nouvelles par le biais de quelques personnes, mais il ne cherche pas à avoir de contact avec sa petite sœur. Quant à mes parents, je préfère qu'ils se tiennent loin de nous, plutôt que de subir en permanence leurs reproches. Je ne veux pas t'embêter plus longtemps avec ces histoires de grandes personnes, qui ne concernent nullement un tout petit bébé comme toi qui n'est même pas encore né. J'essaierai de faire de mon mieux, de te protéger et de t'aimer. Je t'aime, déjà, mon petit bébé.

Maman – 15/04/1986

Ma poupée,

Tu es arrivée parmi nous, il y a trois jours de cela, après de longues heures de travail. Dès que j'ai vu ta petite frimousse, j'ai oublié toutes les souffrances que je venais d'endurer et j'ai senti un sentiment de plénitude et de bonheur m'envahir. Ton père est resté à mes côtés du début jusqu'à la fin, me tenant la main, me rassurant et il a pleuré de joie lorsque l'on t'a déposé sur moi. Il craignait un peu d'être maladroit lorsqu'il t'a pris dans ses bras, mais je ne doute pas un seul instant qu'il fera un très bon père, il l'est déjà. Je sais qu'il sera toujours là pour toi et moi, quoi qu'il advienne. Sans lui, je ne serais pas la femme que je suis, aujourd'hui. Nous sommes les parents les plus heureux du monde. Tu es si belle et déjà si vive, tes grands yeux bleus ne cessant d'observer ce qui t'entoure. Tu faisais 3kg200 à la naissance, ce qui est très bien, pour 51 centimètres. Ton père dit que cela présage du fait que tu seras grande, ce qui me fait un peu rire parce que je ne suis pas certaine que la taille d'un nourrisson ait une quelconque signification. J'avais une tante qui avait eu un petit prématuré et à l'adolescence, il dépassait déjà les hommes de notre famille d'une bonne tête. De toute façon, peu importe ce que tu seras, feras et aimera nous nous t'aimerons toujours quoi qu'il en soit.

Maman – 11/05/1986

Ma fille,

Je me souviendrais toujours comme si c'était hier, du jour où j'ai épousé ton père. C'était le plus beau et à la fois le jour le plus catastrophique de ma vie. Déjà, le matin même j'apprenais par un coup de fil de ma mère qu'elle et mon père ne viendraient pas à mon mariage. Ton père était loin d'être le gendre idéal, pour eux, mais il me semble qu'il en serait allé de même avec tout homme que j'aurais pu leur présenter. Il en est ainsi, j'ai fini par l'accepter puisqu'il m'était inconcevable d'épouser l'un des fils de leurs amis par pure convention sociale et morale. J'ai dû recommencer la totalité de mon maquillage qui dégoulinait sur mon visage. En sortant de la chambre, ton petit sourire m'a recentré sur l'essentiel. Du haut de tes deux ans, tu étais si jolie dans ta petite robe de demoiselle d'honneur que tu allais me voler la vedette sans grande difficulté.

Nous nous sommes mariés, un peu plus de deux ans après ta naissance, car je suis tombée enceinte assez rapidement après avoir connu ton père. L'arrivée d'un enfant chamboule le couple, un quotidien à deux se transforme en foyer à trois et il faut s'adapter, faire des concessions sans se perdre. Évidemment, nous ne regrettons nullement de t'avoir accueillie parmi nous et j'ai assez d'amour pour toi et ton père. Je vous aime autant l'un et l'autre, mais de manière bien différente. Ce sont des choses que ne peuvent pas comprendre mes parents, eux qui se sont quand même merveilleusement bien trouvés dans leur volonté de tout contrôler, planifier et de jeter la pierre à ceux qui ne sont pas sur la ligne de conduite qu'ils considèrent comme étant convenable.

À la réception, je n'ai pu échapper aux échos des médisances que ta grand-mère paternelle a dites à mon égard. Ce soir-là, je décidais que rien ne pourrait m'atteindre. Au moins, elle était là et elle aimait son fils et sa petite fille. C'était toujours mieux que la mienne. Alors peu m'importait, dans le fond, ce qui aurait pu être dit à mon sujet ce jour-là. Entouré des deux amours de ma vie, rien ne pouvait me faire flancher.

Ma petite Agathe, tu es encore trop jeune pour saisir tout ce qui se trame autour de toi tel que nos histoires de familles.

Évidemment, j'aimerais te tenir à l'écart de tout cela, mais il faudra bien t'expliquer certaines choses lorsque tu grandiras et que tu te poseras des questions. J'espère que j'en aurais la force. Ton père sera peut-être plus à même de le faire… Quoi qu'il en soit, le jour où tu auras ce carnet en main et que tu le liras, je veux que tu saches qu'il est essentiel que tu fasses des choix qui te rendent heureuse et te font être en paix avec toi-même. Ne prends jamais de décisions pour nous faire plaisir, à ton père et à moi ou à qui que ce soit même à un amoureux, si cela ne te met pas en accord avec toi-même.

Maman – 23/07/1988

Ma grande fille,

Te voilà, grande sœur ! Je me sens invincible avec vous deux à mes côtés, ainsi que votre père. Je vous aime tellement, mes petites filles chéries. Je sais, Agathe, que du haut de tes quatre ans tu aimerais sûrement avoir de la part de ta mère davantage de démonstration d'amour mais j'espère qu'avec le temps tu comprendras que même si je ne te prends pas souvent dans mes bras, que je crie parfois, je t'aime de tout mon cœur. Seulement, je ne suis pas très douée pour te le montrer. À ta naissance, je pensais qu'il me serait plus facile de te dire tout l'amour que j'ai pour toi, tellement il déborde. Cependant, je reste marquée par une enfance où l'on ne fut pas tendre avec moi, où l'amour était presque une faiblesse. Ah ça, on aimait Dieu, mais même l'amour de Dieu était synonyme de crainte.

Dieu… Que de choses à te dire à ce sujet et je remarque ne pas encore avoir mentionné notre créateur jusqu'ici. Tu le connais déjà bien, avec ton père nous avons toujours eu pour vocation d'élever l'un comme l'autre nos enfants dans la foi. Tes petites mains jointes, le soir pour prier avant de te mettre au lit, ton air très sérieux et à l'écoute durant la messe, me remplissent de joie et de fierté. J'ai une petite fille si mature et avec un cœur tourné vers son prochain.

Je ne suis pas toujours très tendre non plus avec ton père, mais il me comprend mieux que personne et a su m'accepter tel que je suis. Parfois, il me semble qu'il mérite une meilleure épouse, mais je me dois d'accepter son amour et de le lui rendre au centuple.

Maman – 14/03/1990

Ma princesse,

Que les années passent vite ! Te voilà, déjà, arrivée au CP et l'année prochaine ta sœur fera sa première rentrée à l'école maternelle. Je vous aime tellement, vous comblez mon cœur. Peut-être même que bientôt tu auras à nouveau un petit frère ou une petite sœur. Il est vrai qu'après avoir eu deux filles, j'aimerais bien avoir un petit garçon. Ton père serait le plus heureux des hommes. Nous avons confié notre souhait au Seigneur.

Tu grandis à vue d'œil. Hier matin, il me semblait encore vivre le jour de ta naissance. J'aimerais te voir rester à nos côtés et à la fois je sais que j'aurais été une bonne mère, le jour où tu seras devenue une adulte épanouie.

Ta maman, qui t'aime – 04/09/1992

Agathe,

Je ne suis pas très régulière quand il s'agit d'écrire... Bien des choses se sont passées, depuis ton entrée au CP. Ton innocence s'étiole de jour en jour, il le faut bien. Tu deviens une adolescente, voilà déjà que tu fais ta deuxième rentrée en tant que collégienne. Je suis si fière de la jeune fille que tu deviens, même si nous nous prenons de plus en plus la tête, c'est l'âge. Je te revois si petite à la maternité et ça me paraît si lointain et tellement proche, à la fois.

Je sais, maintenant, que ton père et moi n'aurons jamais d'autres enfants que Lisandre et toi. Nous avons essayé, jusqu'à l'année dernière, mais rien n'y fait je ne tombe pas enceinte. C'est certainement qu'il doit en être ainsi, les lois de Dieu sont impénétrables. Ce fut plus de sept ans de lutte, mais tu dois te dire à l'heure où tu lis ces mots que ni ton père, ni moi ne t'en avons parlé un jour. Nous voulions garder cela pour nous tant que cela ne devenait pas concret. Ça ne l'aura finalement jamais été et ça ne le sera jamais. Il m'était trop dur de vous en parler à toi et ta sœur. Ton père a respecté ma décision, il m'a soutenu comme à son habitude. Ça m'a mise plus d'une fois en colère, ça a ébranlé ma foi, mais maintenant je suis en paix avec ça.

Maman – 06/09/1998

Ma fille,

Te voilà, lycéenne, alors qu'il y a encore quelque temps ce moment me paraissait arriver dans une éternité. Tu nous en as fait voir de toutes les couleurs, ces deux dernières années. Je n'y suis certainement pas pour rien. Je n'ai pas toujours été à la hauteur. Je me suis sentie dépassée et j'ai le sentiment d'avoir préféré faire l'autruche, par moment. J'espère que tu me le pardonneras, que tu me pardonneras mes errances et mes faux pas. Je veux le meilleur, pour toi et ta sœur. Je veux qu'avec le temps nos rapports s'améliorent, que lorsque vous deviendrez des femmes, je ne sois pas reléguée au rang des souvenirs. Je ne supporterai pas de me lever le matin et de me regarder dans la glace, en y voyant le reflet de ma propre mère.

Cette mère, qui ne m'a jamais vraiment aimé et qui n'est maintenant plus. Jamais nous n'avons pu discuter de nos différends, puisqu'elle ne m'en a pas laissé l'occasion. J'espère ne pas répéter les mêmes erreurs avec toi, Agathe, que celles qu'elle a faites avec moi. Je ne te l'ai pas dit, ni pour sa mort ni pour le fait que j'ai pris une journée de congé pour aller à son enterrement. J'y ai vu mon père, qui se fait plus lent mais a toujours toute sa tête. Il n'a su encore que me faire des reproches sur mon mariage, l'éducation de mes filles et nombres de choses qui datent d'il y a plus de quinze ans. Mon frère n'aura fait qu'envoyer une carte de condoléances, un bouquet d'œillets et de chrysanthèmes et un chèque pour participer aux frais des obsèques. Tous les frais étaient déjà réglés. Ton grand-père a marmonné qu'il aurait mieux fait de venir que de lui donner de son argent, mais qu'il n'avait pour fils qu'un bon à rien et il a plié le chèque dans sa poche. Là-dessus, j'ai du mal à lui en vouloir.

J'espère que cette année dans un nouvel établissement sera l'occasion de prendre un nouveau départ, pour toi ma fille. Tu n'es pas une méchante fille, pas plus bête qu'une autre, je crois que tu peux réussir. Je ne te demanderai jamais d'être comme Lisandre, vous êtes si différentes l'une de l'autre et c'est comme ça que je vous aime. Ne te compare pas à ta cadette, ma puce, vous êtes toutes les deux mes trésors avec vos qualités et vos défauts. D'ailleurs, tu prends bien mieux soin d'elle que je ne le fais. Elle a de la chance de t'avoir comme grande sœur, j'aurais aussi aimé avoir quelqu'un pour m'épauler en toutes circonstances à son âge et au tien. Heureusement que par la suite j'ai rencontré ton père.

Maman – 04/09/2001

Mon ange,

C'est avec un trou béant dans la poitrine, jusqu'à ce que je puisse te rejoindre que je t'écris. Pas de rentrée, en terminale, cette année. Pas de rentrée, à la faculté, l'année prochaine non plus. Plus de rentrée. Plus aucune voix ne résonne dans ta chambre, plus de cheveux blonds virevoltants, plus de musique trop forte... Tout ce qui pouvait m'agacer, de temps en temps, me manque. Tu me manques tellement que je ne sais plus comment vivre sans toi. Mon premier bébé. Ma petite fille, pourquoi me laisses-tu ? Je ne sais pas vivre sans toi. Je ne sais même plus comment respirer, me lever... Plus rien, ne rime à rien. Ça ne devait pas se passer comme ça, tu es ma fille, je suis ta mère. Ce n'est pas dans l'ordre des choses. Dis-moi, comment est-ce que je fais pour vivre maintenant ? Je ne suis même plus capable de regarder Lisandre dans les yeux. Elle m'agace, mais elle n'y peut rien, elle n'est coupable de rien. Elle vit et toi, tu ne vis plus. Je sais qu'elle aussi, elle a de la peine, mais son chagrin passera alors que le mien m'est donné à perpétuité. Je me demande où peut bien être la justice de Dieu, dans ces moments-là. Ta vie défile sous mes yeux, chaque jour, tant de souvenirs me sont projetés dans chaque pièce à chaque instant. Tu étais là et tu n'es plus, ça fait déjà un mois que je crève de douleur. Je sais pertinemment que ça ne cessera jamais.

Ta maman, pour toujours – 04/09/2003

J'ai trouvé l'enveloppe, devant ma porte, en me rendant au travail. Je ne trouve pas le temps de l'ouvrir, avant de rentrer chez moi au moment de dîner. Bien vite, les larmes me montent aux yeux et l'envie de manger me passe. Je pense qu'elle est passée me la déposer, parce qu'elle ne trouvait pas le sommeil et qu'elle ne savait plus quoi en faire. Elle me transmet ces mots, n'ayant pu les transmettre à Agathe au moment de sa majorité ou quand elle serait devenue elle-même mère à son tour. Il me semble découvrir la tendresse de ma mère, même si depuis quelques jours je n'ai plus de doute sur son existence, mais auparavant j'en avais plus d'une fois fortement douté. Après avoir lu cela, comment pourrais-je encore lui en vouloir pour cet aspect-là de sa personnalité ? Elles nous aimaient, autant l'une que l'autre bien que nous soyons très différentes, moi qui en avais égoïstement douté durant des années.

Je ne l'ai pas encore recontacté à la suite de son message vocal de la veille. Je ne sais pas quoi lui dire. Je ne sais pas comment m'excuser, de l'avoir trop hâtivement jugé durant ces dernières années. Auparavant, j'aurais été sonner chez elle pour lui dire qu'elle devrait avoir honte d'avoir trompé mon père, un homme si dévoué pour sa famille, qu'elle ne s'était pas assez préoccupée de ses filles, etc. Seulement, je me trouve très mal placée pour parler d'amour et de fidélité. Je ne sais pas ce que c'est que de devoir élever des enfants, qui ne se comportent jamais comme tu l'avais espéré. Tout le monde commet des erreurs, moi la première et je m'en rends compte seulement à trente-trois ans. J'avais attendu d'elle l'impossible. Je voulais une mère parfaite, une de celles qui n'existent pas. Certes, la mienne s'était toujours tenue à bonne distance de la mère idéale, mais elle nous aime et je crois qu'elle a aussi sincèrement aimé mon père.

Il est un peu plus de vingt heures, ma mère doit être devant sa télévision. Je me décide à la joindre. Deux sonneries retentissent, avant qu'elle ne décroche. J'entends sa voix froide, si familière, prononcer mon prénom. Il me faut quelques secondes avant de répondre, ce qui a pour effet de l'impatienter.

« Maman, j'ai bien eu ton message vocal, hier soir.

— Tu m'appelais juste pour ça ?

— Non, je voulais comprendre pourquoi tu avais fait cela.

— Il n'y a rien à comprendre.

— (Soupir) Alors, donne-moi au moins son identité, au point où l'on en est.

— C'était Alain, le meilleur ami de ton père, me dit-elle avant de raccrocher. »

Elle s'était un peu ouverte à moi, avant que sa nature ne revienne au galop et qu'elle se referme comme une huître. Il est vrai que je lui en voulais de ne pas connaître sa vie, de ne rien savoir de la vie qu'elle avait menée avant nous et notre père. Je suis sa fille et je ne suis plus une enfant, j'ai besoin de savoir d'où vient celle qui m'a mis au monde, de connaître son histoire pour mieux comprendre la mienne. À travers ce qu'elle avait écrit pour ma sœur, elle se livrait un peu à moi, après plus de trente années de silence. Je ne peux aussi m'empêcher de me demander si un carnet comme celui-ci existe aussi à mon intention.

À treize ans, cela m'aurait affecté de savoir que ma mère avait une liaison avec un autre homme que mon père. Aujourd'hui, je ne la juge pas, comprenant peu à peu que mon père n'était pas non plus un homme infaillible et aussi parfait que je me le figurais, jusqu'ici. Je ne chercherais même pas à comprendre, si cela n'avait pas eu un impact sur Agathe, si cela n'avait pas interféré dans le comportement de mes parents avec elle.

Chapitre 13

Les jours suivant la convocation avec ma professeure principale et la discussion que j'avais eue avec mon père, je relisais les notes que j'avais prises du journal d'Agathe. Je me demandais quelle piste j'allais bien pouvoir suivre, à présent. J'avoue que j'étais, peut-être, un peu trop curieuse et fouineuse dans des choses qui ne me concernaient pas forcément, du moins que je n'avais pas besoin de savoir pour continuer à vivre d'après mes parents. J'étais, également, de plus en plus en colère d'avoir été mise à l'écart de ce qui se passait au sein de la famille. Il me semblait découvrir en partie des étrangers avec lesquels je vivais sous le même toit. J'avais du matin au soir la tête en ébullition et je ne pouvais m'y soustraire, ça m'intriguait et ça m'éloignait de ma peine, d'une maison vide sans ma sœur. C'était, comme si, elle vivait à travers mes investigations. J'avais l'impression qu'elle était encore un peu à mes côtés, que je l'y gardais.

Un matin, alors que je dessinais en cours de français la tête occupée par mes pensées, Noémie me fit du coude. Je n'avais aucune idée de ce en quoi consistait la trame du cours de ce jour. Elle me chuchota, tout en faisant attention que la professeure ne nous remarque pas :

« Il faut que l'on parle, toi et moi, à la récréation.

— On parle, déjà, tout le temps. Qu'est-ce que tu veux me dire ?

— Tu verras, je crois savoir comment remédier à ce qui te tracasse. »

Arrivées dans la cour, ne pouvant plus attendre ni l'une ni l'autre, nous commençons à parler en même temps.

« Bon vas-y, dis-moi, d'abord ce que tu penses avoir compris que je cherche. Si ça se trouve, tu te trompes sur toute la ligne.

— Non, je ne crois pas ma Lisandre. Ça fait des semaines que je te vois préoccuper et j'avais bien remarqué tu avais un carnet rose constamment dans ton sac. J'ai tout de suite compris avant même de l'ouvrir qu'il n'était pas…

— Attends, quoi… tu as ouvert le…

— Laisse-moi terminer, s'il te plaît, et tu comprendras. Oui, je l'ai ouvert mais je te rassure je ne l'ai pas lu. Je voulais juste vérifier que c'était bien celui d'Agathe. Je me doutais que si ça n'était pas le tien, ça ne pouvait que lui appartenir. Je me le suis permis, parce que j'en ai eu marre que tu sois mal parce qu'elle est morte. Quoique je ne dise pas que c'est affreux, mais il est temps que tu prennes conscience que tu l'idéalisais beaucoup trop. C'était ta sœur, mais pas forcément quelqu'un de bien. Je ne t'en ai pas parlé tout de suite, parce que je cherchais un moyen de te le dire pour que tu ne te retrouves pas dans l'état où tu es actuellement.

— Comment voudrais-tu que je sois ? Tu racontes vraiment n'importe quoi, Noémie. Je n'ai jamais idéalisé Agathe et comment oses-tu dire ça, tu ne la connaissais même pas. Tu t'es, en plus, permis de fouiller dans mes affaires sans mon autorisation. Je pensais que tu étais mon amie. Je ne veux même pas prendre la peine d'entendre ce que tu avais à me dire, si c'est pour encore proférer des mensonges sur ma sœur.

— Ce n'est pas ce que je veux. Je veux t'aider à ouvrir…

— Tu sais quoi, tais-toi. Tais-toi ! »

Très en colère, tout en sachant au fond de moi que le discours de mon amie contenait une part de vérité, je me dirigeais vers le préau afin de rejoindre directement la salle de classe où avait lieu notre prochain cours. En passant devant le bureau de la vie scolaire, un surveillant me héla pour me signaler que je me devais de retourner dehors car la sonnerie n'avait pas encore retenti. Il était interdit de circuler dans les couloirs, en dehors des heures de cours. Je l'ignorais et la récréation toucha à sa fin. Les couloirs se remplissaient. Plus particulièrement, des garçons de sixième couraient les uns derrière les autres pour rejoindre leur classe.

J'avais prévu d'ignorer Noémie pour le reste de la journée, voire davantage, peut-être même pour toute ma vie. Elle n'a jamais été d'une nature très farouche et ne s'est pas approchée de moi, même pas à la cantine. On aurait facilement pu croire que je n'existais plus. Elle ne me regardait pas et a continué sa journée comme si de rien n'était. Ni l'une, ni l'autre ne se retrouvait seule faisant partie d'une bande amies. Au collège, je n'avais que des amies filles. Évidemment, elles prirent parti pour l'une ou l'autre, bien que je ne pense pas que Noémie ait donné une réelle quelconque explication. D'ailleurs, moi non plus. C'est l'une des raisons pour lesquelles elle est restée ma plus chère amie. Les autres suivaient le vent, elles n'étaient que des copinages de passage.

Le soir, je ruminais dans mon lit la conversation que j'avais eue avec mon amie. Le lendemain, j'étais bien décidée à retourner la voir, pour quand même entendre ce qu'elle avait à me dire jusqu'au bout. À peine avait-elle passé la grille, que je l'interceptais.

« J'aimerais quand même savoir ce que tu tenais à me dire, hier.

— En es-tu certaine ? Ne vas-tu pas à nouveau me traiter de menteuse ?

— Non, je vais t'écouter d'abord et après j'aviserai de savoir ce que deviendra notre amitié.

— Bon, d'accord, mais tu sais Lisandre je n'ai jamais voulu te faire du mal au contraire.

— Mouais.

— Je voulais te dire que l'une des deux meilleures amies de ta sœur, Julie, habite à deux maisons de la mienne. Tu le sais déjà, comme tu sais que même si ce ne sont ni l'une ni l'autre des lumières, Julie a tout de même un QI un peu supérieur à celui d'Élise. Ce que je te propose, c'est que l'on s'y rende ou qu'on lui donne rendez-vous afin d'obtenir les informations ou les explications que tu cherches. Qu'en dis-tu ?

— Ça pourrait être une bonne idée. Je reconnais même que s'en est une, lui dis-je accompagné d'un sourire en coin. »

Noémie est une fille brillante et c'est une bonne personne. Je le savais, quoique je ne voulusse toujours rien entendre à propos de ma sœur. Cependant, notre amitié repartit bien vite pour un nouveau tour dans les jours qui suivirent. Nous prévoyons un plan, pas des plus simples, pour obtenir une entrevue avec Julie. Déjà, il fallait que j'obtienne l'autorisation de mes parents de pouvoir sortir un mercredi ou samedi après-midi et nous caler sur l'emploi du temps de la lycéenne. Finalement, Noémie a réussi à avoir un rendez-vous avec l'adolescente dans son jardin, le mercredi après-midi suivant. Ses parents étant au travail, jusqu'en début de soirée, elle pouvait nous recevoir sans contrainte. J'ai réussi à obtenir de mes parents de rester en étude le mercredi après-midi et Noémie a dit aux siens la même chose à quelque chose près. Je changeais, je grandissais et je transgressais des règles qui jusque-là m'avaient paru essentielles à une vie de famille sereine. Dorénavant, plus rien ne me paraissait tourner rond au sein de mon cercle familial, alors à quoi bon me conformer à ce que celle-ci attendait de moi.

Julie nous reçut très poliment et nous servit à chacune un diabolo menthe pour mon amie et un diabolo fraise, pour moi. Julie s'asseyant et tout en fixant nos pieds, commença par nous raconter la journée où avait eu lieu l'accident d'Agathe. Elle était après quelques mois toujours aussi bouleversée et marquée par la vue de la percussion entre la voiture et le corps de son amie, qu'elle avait vue. Ses yeux s'embuèrent, pleins de larmes, et elle fut prise de tremblements. Noémie, voyant que cela me m'était mal à l'aise, même si j'essayais de le cacher, décida de rentrer dans le vif du sujet.

C'est ainsi que j'ai appris qui était Antoine et par la suite, que je suis entrée en contact avec lui jusqu'à aller lui rendre une petite visite. Ainsi, j'ai su pour la consommation de drogue que prenait Agathe. Je n'ai jamais parlé à mes parents de cette découverte, me doutant d'une part qu'ils le savaient et d'autre part, ils avaient gardé beaucoup de choses pour eux et j'estimais que j'étais moi aussi en droit de le faire. Julie nous a aussi parlé du rapport qu'avait ma sœur avec les autres élèves. Elle avait une fâcheuse tendance à terroriser les plus faibles et à émettre beaucoup de critiques faciles sur ceux ne faisant pas partie de son cercle d'amis.

« Tu la suivais, sans rien dire ? Il ne t'est jamais venu à l'esprit de défendre ces pauvres gens ? lui dit Noémie.

— Je ne sais pas. Ça avait toujours été comme ça, depuis que je connaissais Agathe. Je ne voulais pas la perdre en tant qu'amie. Elle avait aussi de bons côtés, mais elle était dure envers les autres et elle-même. »

J'écoutais et j'entendais clairement le discours de celle qui avait été l'une des plus proches amies de ma sœur, mais j'avais du mal à assimiler tout ce qu'elle disait. Je me sentais comme en dehors de tous ces évènements, comme si ce n'était pas vraiment moi que cela touchait mais une autre fille. J'avais du mal à réaliser et je n'imaginais pas encore à cette époque qu'il me faudrait encore vingt autres années pour en saisir l'ampleur. Je ne savais pas que le fantôme de ma sœur me poursuivrait aussi longtemps et que je m'évertuerai à courir plaie béante.

« Il y a une chose que je n'ai jamais comprise, poursuivit Julie. Elle s'amusait à rabaisser des filles comme toi, Lisandre. Des filles que la nature n'a pas trop gâtées et qui ont un tempérament docile, comme le tien. Pourtant, pas une seule fois elle n'a dit de mal à ton égard et il ne fallait surtout pas que quelqu'un se permette d'en dire. D'une certaine manière, je crois qu'elle t'admirait. »

Julie éclata en sanglots. Une fois qu'elle se fut un peu calmée, nous en profitâmes pour prendre congé. Nous remontâmes un peu la rue et nous assîmes sur le trottoir qui longeait le jardin des parents de Noémie.

« Je ne sais pas si finalement, cela t'a vraiment été d'une quelconque utilité dans tes recherches.

— Au moins, j'ai une piste du côté de cet Antoine et il était nécessaire que j'aie la vision des choses de la part de Julie. Elle a été très proche de ma sœur. D'un côté, ça me frustre de savoir qu'il y a des choses dont elle pourrait être au courant et moi non, mais je ne peux plus rien y faire, lui dis-je avant de me lever sentant les larmes me monter aux yeux.

— Je te demande juste de faire attention à toi, ma Lisandre. »

Sur ce, je rebroussai chemin pour rentrer chez moi et Noémie dut en faire de même, lorsque j'ai tourné au bout de la rue.

Chapitre 14

« Bonjour, Maman. Je suis venue comme tu me l'as demandé. »

Quelque temps après, j'ai réussi à joindre ma mère qui m'a demandé de passer la voir un vendredi soir après ma semaine de travail. Des explications en tête à tête sont toujours plus appréciables qu'au téléphone et j'ai l'impression que quelque chose est sur le point de se dénouer avec elle, après toutes ces années de lutte perpétuelles où nos fantômes faisaient figure de murs entre une mère et sa fille, vivante.

« Entre, Lisandre. Veux-tu boire quelque chose ?

— Non, ça ira. »

Elle me fit signe de prendre place sur le canapé du salon, en face de la télévision éteinte. Esther, ma mère, n'avait jamais été une femme très portée sur la technologie, les écrans et plus elle prenait de l'âge moins elle y portait d'attention. Elle a, évidemment un téléphone tactile quasiment de la dernière génération mais avec pour toute application Candy Crush et Facebook, sur lequel elle ne doit pas avoir plus de trois ou quatre amis. Elle regardait la télévision en compagnie de mon père, le soir, mais je pense que dorénavant celle-ci n'aura plus que pour seul but d'être décorative. Elle s'assit à côté de moi et commença à me parler d'Alain.

— Ça faisait plusieurs années que je n'avais pas vu Alain, avant l'enterrement de ton père. J'avais gardé ses coordonnées et c'était la moindre des choses que je le mette au courant. Ça ne s'efface pas du jour au lendemain plus de trente ans d'amitié. Il était le meilleur ami de ton père, depuis leurs années lycée. Il avait toujours fait, également, partie de ma vie à partir du moment où j'ai rencontré ton père. Il n'y a jamais eu d'ambiguïté, du moins jusqu'à ce que notre quotidien avec ton père se complique…

— Que s'est-il passé, maman, au juste ?

— Tu le sais, Lisandre, du moins en partie. On ne pouvait déjà pas te cacher grand-chose, alors je n'ose imaginer aujourd'hui. Tu étais tranquille, silencieuse, du moins jusqu'à la mort de ta sœur mais j'ai toujours su que tu observais énormément ce qui se passait autour de toi. J'étais la même enfant, puis dirons-nous qu'avec l'âge on s'endurcit et on s'affirme. N'est-ce pas ?

— Peut-être, maman, je ne sais pas. Tu n'avais déjà jamais fait aucune comparaison entre toi et moi jusqu'ici. Cependant, pour l'instant j'ai besoin de l'entendre de ta bouche ce qu'il s'est passé à l'époque, s'il te plaît. J'ai lu les lettres que tu avais écrites à l'intention d'Agathe, elles m'ont touché, mais…

— Tu as toujours été une enfant sensible, mais finalement plus solide qu'Agathe malgré les airs qu'elle se donnait. Tu es devenue une femme équilibrée, mais ce n'est pas grâce à moi, sûrement davantage à ton père. Si ce n'est que tu n'as toujours pas de mari et de progéniture, mais lorsque l'on regarde ta mère, on comprend mieux. Je n'ai pas su me livrer à vous, au moment opportun, repoussant sans cesse et m'éloignant de plus en plus des jeunes filles que vous deveniez. Je suis désolée, Lisandre.

J'ai contribué à la mort de ma propre fille et je n'ai pas été assez présente pour celle qui me restait.

— Tu n'as pas tué Agathe et tu as fait du mieux que tu as pu, maman. Je n'ai pas non plus été une adolescente très compréhensive. Je ne pensais qu'à ce que je ressentais et qu'au fait que vous me mentiez, plutôt que de penser ne serait-ce qu'une seconde que vous le faisiez pour me protéger. C'est sûr que j'aurais aimé avoir quelques explications pour ne pas autant m'être posé de questions jusqu'ici mais on ne refait pas le passé. Alors, cesse de te tourmenter avec ce que tu aurais pu faire de mieux avec Agathe ou avec moi.

— Je n'ai rien fait pour l'aider, bien que sa mort ne soit pas liée aux évènements qui l'ont précédé. Après l'agression sexuelle que ta sœur et ses amies avaient fait subir à ce garçon, j'ai été incapable de gérer quoi que ce soit. Je me suis laissé submerger par ce que nous aurions dû traverser en couple, main dans la main. Agathe, a enchaîné avec la drogue, le sexe, l'alcool et j'en passe, dit-elle en sanglotant.

Passant une main dans le dos de ma mère, je me lève pour aller dans la cuisine lui chercher un verre d'eau et prendre une boîte de mouchoirs au passage. Je connais chaque emplacement de chaque objet par cœur. Je n'y avais pas fait attention jusqu'ici, toute la maison n'a pas sourcillé en vingt ans et pas seulement la chambre de ma sœur. Du meuble, en passant par les couverts et jusqu'aux bougies rien n'avait été déplacé ou remplacé. Je pense que ça rassurait son hôte, en quelque sorte.

« J'ai préféré me protéger, plutôt que de faire bloc avec ton père et d'aider ma fille. J'étais désœuvrée mais je n'ai pas recherché une quelconque aide. C'est bien la seule fois où ton père m'a reproché quelque chose tout au long de notre mariage et il n'avait pas tort. Un froid s'est installé dans notre couple, au point de ne plus partager notre lit. Ton père a décidé au bout de quelques semaines de dormir sur le canapé, en faisant toujours en sorte de se lever avant ses filles. Nous entretenions une correspondance téléphonique et par messages avec Alain, alors rapidement il a compris que quelque chose avait changé. Ton père lui a dit que ce n'était qu'un passage à vide dans notre couple qu'il n'avait pas à s'en faire pour si peu. En réalité, nous étions devant une montagne et je n'ai fait qu'ajouter des pierres au sommet. J'ai commencé à me confier à Alain et nous, nous sommes rapprochés. Jusqu'à ce que je lui donne rendez-vous un après-midi, à la maison, pendant que ton père était au travail et ta sœur et toi étiez en cours. Je l'ai embrassé. Il a reculé et m'a dit que nous commettions certainement une erreur. J'ai rougi, tournant les talons, mais il m'a retenu par le bras et s'est penché vers moi pour à son tour m'embrasser. Il est revenu, le lendemain et les jours d'après, dès qu'il le pouvait. Il était auto-entrepreneur, donc assez libre vis-à-vis de ses horaires de travail. Le moindre prétexte était le bienvenu pour se voir.

— Je trouve qu'il s'est quand même joué de ta fragilité.

— Il était sincère et gardait un profond respect pour ton père, mais nous nous sommes laissés emportés par nos corps dans une passion sans penser aux conséquences. J'aimais infiniment ton père, il a été l'homme de ma vie et le restera toujours, mais à ce moment donné Alain m'a apporté la tendresse que ton père ne me procurait plus. J'étais naïvement amoureuse, comme une adolescente, n'ayant jamais connu d'autres hommes que ton père.

— Et, c'est là où on arrive au moment où Agathe a fini par découvrir ta liaison…

— En effet… »

Il y a environ vingt ans

Agathe venait de passer le portillon, traverser la courte allée et refermait la porte derrière elle quand elle a entendu deux voix dans le salon. Elle avait tout de suite identifié la voix de sa mère, mais le timbre masculin n'était pas celui de son père. Elle ne s'en formalisa pas tout de suite, mais plus tard, en se remémorant cette journée. Pour le moment, elle s'avançait vers l'escalier qui jouxtait le salon pour monter dans sa chambre à l'étage. Dos à elle, sa mère ne la vit pas lorsqu'elle s'avança. Ce fut d'abord son amant, Alain, déposant un baiser passionné sur les lèvres d'Esther qui vit du coin de l'œil l'expression interloquée d'Agathe.

Il fit signe à son amante de se retourner. Agathe gravissait, déjà, les marches quatre à quatre. Sa mère, tenta de la suivre et de lui dire de s'arrêter qu'elle allait pouvoir lui expliquer, que ce n'était pas ce qu'elle croyait. Au moment de s'engager dans le couloir, sa fille claquait la porte de sa chambre.

« Agathe, ouvre-moi, s'il te plaît. Ce n'est pas vraiment ce que tu crois. Laisse-moi t'expliquer. J'aime ton père. Je n'aime aucun autre homme que lui. Ne lui dit pas, s'il te plaît, ce que tu viens de voir. »

Au rez-de-chaussée, Alain prenait son manteau et s'en allait pour ne plus remettre les pieds dans cette maison avant de longues années. Il préférait fuir tant qu'il était encore temps la dramatique situation familiale à laquelle il avait participé. Tandis, que là-haut, Esther s'affalait contre la porte de sa fille tentant tant bien que mal de communiquer avec celle-ci. Elle ne savait pas qu'Agathe avait mis ses écouteurs et que de la musique y déferlait à un haut volume. Elle ne saurait jamais que sa fille n'avait rien entendu de son cri de douleur, d'une mère perdue se confondant en excuses. Il ne lui resterait en tête que les premières justifications dérisoires d'une femme pris sur le fait de l'adultère qui essaie par un premier instinct de sauver ce qui lui reste.

« Ma chérie, je suis désolée de ne pas avoir été assez présente ces derniers mois. À vrai dire, j'ai craint de faire face à ce que tu traversais. Je ne comprenais pas ton comportement, ma petite fille si sage devenue une véritable tornade. J'ai fui. J'ai été faible. Je ne te demande pas de me comprendre, mes choix, mes actes n'ayant moi-même pas cherché à comprendre les tiens, mais pardonne-moi. Je t'aime, Agathe, même si je ne te le dis pas. J'ai choisi la facilité plutôt que de me battre aux côtés de ton père. Je me suis éloignée de ma famille, mais je vais me rattraper. Je te promets de faire des efforts, de faire du mieux que je peux pour être à la hauteur, dit-elle avant de fondre en larmes et de retourner en bas préparer le dîner du soir. »

Lisandre et son mari rentrèrent chacun leur tour. Au moment de passer à table, Agathe refusa de descendre pour se joindre à eux. Esther, peinait à cacher son malaise et son époux s'agaçait de ne pouvoir obtenir d'explication. Lisandre, se souvient aujourd'hui du malaise ambiant ce soir-là et les jours suivants, mais elle n'y fit pas plus attention que cela. Après le dîner, Joseph monta voir Agathe qui lui ouvrit. Une trentaine de minutes plus tard, il redescendit en trombe. Sa femme tenta de le retenir, de lui dire qu'elle était désolée, mais il mit ses chaussures, son manteau, prit ses clés et partit faire un tour en voiture.

« Lorsqu'il est revenu, plus tard, dans la soirée, il refusa de m'adresser la parole jusqu'au dimanche. Ce jour-là, il s'entretint avec le prêtre de notre paroisse et quand il revint vers moi qui attendais avec vous deux sur le parvis de l'Église alors que tout le monde était déjà parti, il était redevenu le même homme attentionné qu'avant. Ce n'est pas dans ma nature de demander des explications lorsque l'on ne m'en donne pas. Je n'ai pas du tout eu connaissance de la teneur de la conversation mais il m'a pardonné, j'en suis certaine. La seule et unique chose qu'il m'a dite lorsque nous, nous sommes couchés le soir en me prenant dans ses bras est "Auprès du Seigneur, notre Dieu, la miséricorde et le pardon, car nous avons été rebelles envers lui", Daniel chapitre 9, verset 9.

— Je suppose que ça n'a pas été aussi simple avec Agathe. Elle devait t'en vouloir d'avoir trompé papa, de plus elle pouvait se montrer assez rancunière.

— Elle avait décidé de ne plus prêter attention à ma présence, alors ton père est allé lui parler, lui expliquer qu'il fallait pardonner les faiblesses des autres parce qu'elle aimerait que si un jour elle était amenée à blesser quelqu'un qui l'aime qu'on lui donne une seconde chance, qu'on lui pardonne. Il lui a, également, présenté ses excuses concernant le fait qu'elle soit mêlée malgré elle à tout cela et qu'il était désolé que nous n'ayons pas forcément réagi comme il se devait face à ce qu'elle traversait et qu'on n'ait pas pris en compte ce qu'elle ressentait. Ce fut tout de même compliqué les semaines suivantes. Elle mit du temps à digérer ce qu'elle avait vu. »

Cela me fit penser au fait qu'Agathe portait un jugement hâtif sans se remettre en question, sûrement dû à son jeune âge et à son manque de maturité qui m'apparaissait de plus en plus, plus j'en apprenais sur les derniers mois de sa vie. N'aurais-je pas réagi de la même manière si j'avais appris que ma mère avait un amant à cette époque ? Est-ce que j'aurais comme toujours pris à nouveau la défense de mon père ? Ma sœur ne semblait pas prendre conscience qu'elle avait elle-même blessé son entourage et des connaissances. À moins, qu'elle ne savait pas exprimer sa solitude, son sentiment d'impuissance vis-à-vis de la réaction de ses parents ou qu'elle voulait le leur faire payer, principalement à notre mère.

Ensuite, elle m'expliqua qu'elle avait vraiment craint que mon père quitte le foyer lorsqu'il avait appris sa liaison. Heureusement, sa foi et son amour inconditionnel envers les siens l'avaient retenu et lui avaient donné la capacité de pardonner. Elle ne sait pas si à sa place, elle en aurait eu la capacité et la force. Cependant, mes parents ont décidé de couper les ponts avec Alain. À vrai dire, c'est la décision que mon père a prise et ma mère ne s'estimait pas en droit de faire une objection quelconque. Elle me dit avoir tout de même gardé le contact d'Alain dans son répertoire, au cas où son mari viendrait à changer d'avis sur son vieil ami.

***

Le soir, allongée dans mon lit les yeux grands ouverts fixés sur le plafond, je pensais à tous ces enfants qui avaient poussé la porte de mon cabinet parce qu'un juge pour enfants avait décidé que c'était nécessaire. Il en était ainsi la plupart du temps, bien que quelques fois la démarche provienne de l'un des deux parents mais très rarement des deux. Souvent, c'était le même schéma. Des enfants culpabilisants du divorce de leurs parents, parce que ceux-ci se déchiraient pour la garde, la manière d'élever leur progéniture et ils faisaient mauvaise presse sur l'autre auprès de l'enfant. Il fallait faire comprendre aux enfants qu'ils étaient aimés et nullement coupables de quoi que ce soit, mais étant psychologue spécialisé de l'enfance je ne reçois pas les parents. Un confrère, dont je pouvais lire le nom sur le dossier de l'enfant s'il le voulait bien s'y trouvait. Au début de ma carrière, j'avais essayé de rentrer en contact avec ceux pour lesquels je jugeais cela nécessaire pour travailler ensemble et que le travail que je faisais avec l'enfant ne soit pas balayé à nouveau par les parents. J'ai très souvent eu des refus par manque de temps ou mon confrère n'en voyant pas l'intérêt. Cela m'a peu à peu fait abandonner cette démarche.

Il y a aussi les violences conjugales, qui se répercutent psychologiquement sur l'enfant que j'étais aussi amenée à rencontrer. Souvent, après un procès et un suivi déjà effectué avec un pédopsychiatre. Je suis là, pour la reconstruction de l'enfant, pour solidifier de nouvelles bases.

Je me sens chanceuse de ne pas avoir eu à vivre le divorce de mes parents ni leurs disputes. Je regrette qu'Agathe ait eu à vivre cela seule, que nous n'ayons pu nous serrer les coudes entre sœurs. Ça n'avait dû qu'accentuer ses fragilités déjà présentes et la perte de ses repères. Ça m'a échappé durant plus d'une vingtaine d'années, tout ce qu'on m'avait caché m'est révélé en quelques semaines et maman m'en a plus dit ces derniers jours que depuis que je suis en âge de comprendre. J'ai du mal à vraiment savoir ce que je ressens, mais des larmes coulent pour la première fois sur mes joues depuis celles que j'avais versées dans un coin du parking du funérarium.

Chapitre 15

Je me réveille dans une espèce de brouillard. J'ai un mal de crâne et de grosses courbatures. J'ai eu du mal à trouver le sommeil me retournant à plusieurs reprises dans mon lit et mes temps de repos furent courts et agités. Ce matin, il m'est compliqué de me lever et de n'avoir ne serait-ce qu'envie de vivre cette journée et d'aller au travail. J'ai la tête qui tourne et je doute que je puisse réussir à sortir de chez moi. Je ne me suis encore jamais sentie aussi mal, intérieurement et extérieurement. Les larmes me montent aux yeux et je cours vers ma salle de bain sentant du vomi qui remonte le long de ma trachée et arrive dans ma bouche.

Je me retrouve assise à côté de la cuvette, totalement redécorée par mon repas de la veille. Je pleure à chaudes larmes, incapable de me lever et tremblante de partout ne comprenant pas ce qui m'arrive. Je ne saurais dire exactement combien de temps se passe avant que je ne me lève pour retourner dans ma chambre, après avoir somnolé sur le carrelage. Plutôt, devrais-je dire que je me traîne jusque sur mon lit et saisis mon téléphone sur ma table de chevet. Je compose le numéro de mon médecin traitant et lui explique ce qui m'arrive. Mon réveil m'indique qu'il est exactement huit heures vingt-cinq. Elle me dit qu'elle peut me recevoir à neuf heures dix. Je m'habille tant bien que mal le plus rapidement possible et ne me sentant pas dans la capacité de conduire, je prends le bus pour me rendre à son cabinet.

Les autres passagers me regardent mi-inquiets, mi-dégoûtés. Je suis livide, emmitouflée dans un manteau d'hiver avec une grosse écharpe. J'ai aussi froid et aussi mal que si j'avais un état grippal mais ce n'est pas la saison. De plus, ce n'est que l'arrêt avant celui auquel je descends, que je m'aperçois que j'ai un bout d'aliment vomi non identifiable qui m'est resté sur le menton. Ce qui a pour effet de me faire me sentir encore un peu plus mal.

Dans la salle d'attente, personne ne semble être aussi mal que moi. Il y a une femme accompagnée d'un jeune enfant qui court dans tous les sens. Un homme est assis, une ordonnance à la main. Deux, trois personnes âgées attendent sagement leur tour. J'ai l'impression que je vais à tout moment tomber d'un côté ou de l'autre de ma chaise. Mes yeux ont tendance à vouloir se fermer. Je vois déjà très bien les gens se précipiter au-dessus de moi et composer le numéro du SAMU. Heureusement, le médecin prononce mon nom accompagné d'un sourire chaleureux et j'entre dans son cabinet.

Tout de suite, elle me dit que j'ai mauvaise mine. Sans blague, je ne l'avais pas remarqué. Elle m'ausculte et me pose des questions, sans rien laisser percevoir de ce qu'elle en pense avant de me dire qu'elle va m'envoyer voir un psychothérapeute.

« Excusez-moi, je ne suis pas certaine d'avoir bien compris ?

— Oui, un psychothérapeute parce que je suis certaine que votre état est dû à un surmenage, de la fatigue et peut-être même un début de dépression. Cependant, je vous prescris tout de même une prise de sang au cas où ce ne soit d'origine organique, mais cela m'étonnerait vraiment.

— Vous n'avez pas besoin de me prendre un rendez-vous. Je vais appeler un collègue qui pourra très certainement me recevoir rapidement, lui dis-je, sur un ton las. »

J'effectue le même trajet en sens inverse. Je n'ai plus envie de dormir. Je me sens toujours affreusement mal, mais des pensées ne cessent de me traverser l'esprit. Il est vrai que cela fait plusieurs semaines qu'un certain malaise s'est installé en moi de manière progressive. J'ai foncé tête baissée dans le passé, sans prendre en compte les signaux que m'envoyait mon corps. Avant de rentrer chez moi, je pense tout de même à passer faire ma prise de sang au laboratoire.

J'essaie de joindre Nicolas, un ami que j'ai connu sur les bans de la faculté. Il est lui aussi devenu psychologue. C'est une personne, douce, à l'écoute et je lui fais confiance. De plus, il n'exerce pas très loin de chez moi et je n'ai pas la force de me traîner jusque dans une autre ville. Il décroche dès la première sonnerie. Dès ses premiers mots de salutations, je pense l'entendre sourire. Seulement quand il entend ma voix et la demande que je lui fais, je peux presque le voir froncer les sourcils et prendre un air sérieux. La communication ne dure pas très longtemps. Il me dit qu'il peut me recevoir, en fin de journée, après son dernier rendez-vous avec l'un de ses patients à dix-neuf heures.

Il est treize heures, mais l'appétit n'est pas présent. Je n'ai ni l'envie ni la force de faire quoi que ce soit. Je retourne m'allonger sur mon lit et m'endors, rapidement. Il est dix-sept heures lorsque je me réveille. Je me lève, m'y prenant à plusieurs reprises pour atteindre la cuisine ayant des vertiges. Je me contente de boire un verre d'eau. Je me prépare, à nouveau à sortir, même si le courage de me confier à mon ami me quitte un peu plus à chaque instant. Il me faut me faire violence pour quitter mon immeuble.

J'arrive un peu en avance. J'attends qu'il termine sa séance avec, normalement, ce qui aurait dû être sa dernière patiente de la journée. Lorsque celle-ci sort, elle m'adresse un chaleureux sourire et me souhaite une bonne soirée. C'est une trentenaire, tout comme moi et mon ami. Elle est jolie…

« Lisandre… Lisandre, je t'ai dit que tu pouvais entrer.

— Oh oui, excuse-moi. J'arrive. »

Il disparaît dans son cabinet et je le suis. Il n'a pas tant changé, depuis la dernière fois où nous nous sommes vus. Il me laisse m'asseoir où je le souhaite. Je ressens tout de suite entre nous, une certaine distance. Il prend son ordinateur depuis la table et le pose sur ses genoux. Sur la table basse, repose un paquet de mouchoirs et une de ces « boîtes bienveillances » dont le principe est de tirer au hasard l'un des petits papiers à l'intérieur sur lesquels il y a un mot, une phrase ou une expression positive. On peut l'acheter en boutique ou la faire soi-même. Là, en l'occurrence, il l'a achetée déjà toute faite. C'est sûrement l'intention qui compte. Je la fixe, me demandant quel genre d'homme il est devenu, jusqu'à ce qu'il prenne la parole.

« Je t'avoue Lisandre que cela me fait une sensation étrange de t'accueillir, ici, en tant que patiente. Je n'ai pas pour habitude de mélanger ma vie privée et mon travail, si tu vois ce que je veux dire.

— Tu sais, si ça te dérange, je peux…

— Laisse-moi terminer avant de faire des conclusions hâtives, s'il te plaît. Le passé m'importe peu, maintenant que j'ai ma propre famille et je veux bien t'aider, mais il me faut d'abord comprendre quelques petites choses. Déjà, pourquoi avoir contacté un thérapeute que tu connais et notamment m'avoir recontacté après plusieurs années de silence ? Je ne pensais même pas que tu puisses encore avoir gardé mon numéro. Je ne pensais même plus à toi. »

L'amour s'en est allé depuis longtemps, si jamais un jour je l'ai réellement aimé. Je ne sais plus vraiment. Cependant, cela me fait quand même mal de l'entendre dire que je n'ai plus de place dans sa vie. C'est normal, ça ne m'étonne pas, mais j'ai un pincement au cœur d'en prendre connaissance. Je ne sais même plus si j'ai bien fait de venir. En réalité, nous avions été plus qu'amis sur les bancs de la faculté et il n'avait pas été seulement un camarade attentionné avec moi. Nous sommes plus ou moins sortis deux ans ensemble. Je l'aimais bien, pas plus que ça. Je ne m'en suis aperçu que beaucoup trop tardivement. J'ai fini par lui dire que je pensais m'être trompée sur mes sentiments.

Il y a environ dix ans

« Ça ne va pas, ma chérie ?

— Nicolas, j'ai quelque chose à te dire.

— Dis-le-moi, tu sais que tu peux tout me dire.

— On ne va pas pouvoir continuer… ensemble, tu vois. Je crois que je me trompe sur la nature de mes sentiments… Je t'aime bien. Tu es gentil. Je t'aime beaucoup, mais pas pour que l'on fasse notre vie ensemble. Enfin, je suis désolée… Je ne veux pas te faire de peine, mais je suis désolée… Je ne peux rien te donner de plus qu'une amitié, à l'avenir, désolée.

— Je vois. J'aurais toujours dû m'en douter, dit-il en se levant et en tournant les talons.

— Attends, Nicolas… Nicolas ! Ne pars pas comme ça. Je ne peux pas supporter de te voir aussi mal.

— Il va falloir que tu t'y habitues, maintenant. Pour le moment, laisse-moi tranquille. »

C'était une semaine avant les vacances de Pâques. Après celle-ci, il est revenu s'installer à côté de moi à huit heures pour le premier cours de la journée en amphithéâtre, comme à son habitude. Ça ne s'est pas fait du jour au lendemain, mais notre amitié est redevenue solide et nous passions à nouveau la plupart de notre temps libre ensemble. Une fois notre diplôme en poche, nous nous étions promis de rester en contact mais ce ne fut pas le cas.

« Je t'ai contacté, parce qu'en dehors de Noémie tu es la seule personne qui m'a un jour compris un tant soit peu. Tu m'as toujours écouté, consolé, sans jamais me juger pourtant je n'ai pas toujours été tendre avec toi. Seulement, mon amie n'est pas psychologue alors que toi tu l'es.

— Je vois. Quelle est la problématique qui t'amène ?

— Je ne sais pas vraiment. À vrai dire, c'est mon médecin traitant qui m'a dit de consulter parce qu'elle pense que je suis surmenée, voir que je fais une dépression.

— Ah oui, en effet, ton médecin est plutôt du genre à ne pas mâcher ses mots…

— J'ai appris beaucoup de choses sur ma famille que je ne savais pas, dernièrement. Des secrets, des non-dits qui remontent au temps où Agathe était encore en vie. »

À l'entrée de ma dernière année d'étude, avant de devenir psychologue, il nous avait été tout de suite conseillé d'entamer une psychothérapie sur nous-mêmes. On nous en avait déjà précédemment parlé, mais il s'agissait de la dernière ligne droite avant la fin de notre cursus universitaire. C'était maintenant ou jamais, de faire le point sur nous, de régler nos blessures d'enfance, d'adolescence, nos histoires familiales ou intergénérationnelles qui nous auraient poussés dans cette voie professionnelle. Je n'y avais que très peu réfléchi, ça m'était apparu évident que pour moi il n'était pas question que j'entame une telle démarche. Je jugeai cela inutile et le percevais comme une perte de temps. J'avais déjà assez à faire avec mon mémoire à rédiger et la soutenance à préparer pour valider mon diplôme.

J'aurais dû.

« Lorsque nous nous sommes rencontrés, c'était un sujet que tu évitais avec qui que ce soit. Tu allais même jusqu'à dire aux inconnus que tu étais fille unique. La seule fois où tu m'en as parlé, c'est lors de l'un des anniversaires de sa mort. Ta mère t'avait passé un coup de fil et tu…

— J'étais au bord des larmes. Oui, je sais, je m'en souviens très bien. D'ailleurs, ça faisait longtemps, peut-être trop longtemps que je n'avais pas craqué. Ce jour-là, j'ai été odieuse avec ma mère au téléphone et envers la mémoire d'Agathe. J'ai dit que j'aurais préféré être fille unique, si ça avait été nécessaire pour avoir un tant soit peu d'amour de ma mère et qu'elle cesse de toujours faire allusion à sa fille aînée alors que celle-ci était morte et que moi je suis bien vivante. J'étais en colère, mais surtout très triste. Nous étions toutes les deux tristes de ce temps qui passait inexorablement, sans qu'Agathe puisse revenir. Elle ne m'aura même pas vue obtenir mon brevet des collèges, ni mon baccalauréat et encore moins mon diplôme de psychologue. Encore, aujourd'hui, je lui en veux d'être morte et de nous avoir laissés avec des zones d'ombres.

— Lisandre, tu dois te pardonner de ressentir tout cela et laisser partir ce que tu gardes, encore, en toi. Il faut que tu puisses faire ton deuil, parce que jusqu'ici toutes les injonctions familiales réelles ou que tu te figures, t'ont empêchés de le mener jusqu'au bout. Il faut que tu acceptes que les gens ne soient jamais tout à fait l'image que l'on s'en fait, même ceux qui nous sont proches. Nous ne sommes jamais totalement objectifs. Nous ne les connaissons jamais entièrement et rien ne sert de remuer ciel et terre à la recherche d'une vérité impossible à détenir et qui ne viendra jamais. Je vais t'adresser à un collègue qui traite spécialement le genre de problématique que tu as. D'accord, Lisandre ?

— Oui, lui dis-je timidement, prenant une voix un peu enfantine, ce que je faisais lorsque je ne me sentais pas très bien et qui ne s'était pas produit depuis mon année de terminale. »

Il me donna l'adresse et le numéro du secrétariat du cabinet du psychothérapeute et me raccompagna jusqu'à la sortie en me gratifiant d'un sourire et me souhaitant bon courage, que tout allait rentrer dans l'ordre. Ce n'est pas vraiment ce à quoi je m'attendais comme consultation, mais je range quand même dans mon sac à main l'adresse qu'il m'a conseillée. Il pleut, encore une fois. Je me sens moins nauséeuse et je n'ai plus de vertige. Je pourrais rentrer chez moi, mais je ressens le besoin de marcher un peu. Mes pas me guident le long de la rame de métro. Je monte dans le premier métro qui s'arrête et ne descend que lorsque je suis obligée de le faire, c'est-à-dire au dernier arrêt. De là, je me remets à déambuler en traînant des pieds sans savoir où je vais ni ce que je veux.

Une bande d'adolescents passant par là me bouscule volontairement et me vole par la même occasion mon sac à main. J'essaie de me rattraper avant de m'écraser comme une feuille morte sur le sol. Il me faut quelques secondes avant de réussir à me relever. Les jeunes sont déjà trop loin pour que je puisse essayer de les rattraper. Alors, je regarde mes mains écorchées, mon jean sali et je me mets à pleurer.

« Oh, il ne faut pas leur en vouloir ils ne connaissent pas les bonnes manières. Ce sont des enfants à moitié éduqués par la rue, dont la mère vit seule après un divorce ou le décès du père et qui ont peu de temps à consacrer à leurs enfants si elles veulent pouvoir les habiller et les nourrir. Ne pleurez plus, tenez un mouchoir, me dit une dame.

— Ça va aller, non, merci.

— Vous avez l'air d'avoir froid ? Vous devriez rentrer chez vous, vous n'êtes pas bien couverte. De plus, vous semblez fatiguée et pas seulement parce que c'est la fin de la journée. Je vais prier pour vous. Ça va aller, ne vous en faites pas, ouvrez votre cœur à Dieu et faites-lui confiance alors tout ira pour le mieux quoi qu'il advienne.

— Encore, Dieu… Toujours Dieu… mais qu'avez-vous tous avec lui, à me parler de lui alors qu'il n'existe pas ? Il n'existe pas, comprenez-vous ! Votre Dieu miséricordieux et plein d'amour n'existe pas ! Sinon, je ne me serais pas fait agresser par une bande de petits morveux mal éduqués, lui dis-je sans même l'avoir déjà regardé jusqu'ici. »

J'essuie mes yeux et mon nez qui coule avec le revers de ma manche, tout en relevant la tête. Tout de suite, son visage me semble familier mais je ne saurais dire pourquoi. Elle ne semble pas du tout en colère après les mots que j'ai proférés. Ça me revient, ce visage, ces yeux, ces longs cheveux bruns et… oui, surtout ces yeux bleus transperçant qui semblaient déjà lire en moi, il y a vingt ans. Cependant, ma mémoire doit me jouer des tours. Ce n'est pas possible. Pourtant, c'est exactement la même femme devant moi que celle qui m'avait donné envie de faire mien le métier de psychologue dans les couloirs de réanimation.

La peur monte en moi. Je ne suis plus triste ni en colère. J'ai seulement peur. J'ai peur de ne pas tout à fait comprendre ce qui se passe et à la fois, tout en entrevoyant ce sur quoi je voudrais fermer les yeux. Alors, je me mets à reculer. La femme me tend la main en me souriant. Elle n'a pas pris une ride. Nous avons à peu près le même âge.

« Lisandre, tu te souviens de moi. Je ne veux pas t'effrayer. Je sais que c'est déroutant, mais mes intentions n'ont pas changé. Les intentions de Dieu ne changent jamais. Je suis là, parce que c'est le moment, la faille est assez grande pour que tu prennes enfin conscience de ta place sur cette terre et de tes capacités. Nous avons besoin de toi, ici-bas. »

Mes yeux s'écarquillent davantage. Dans la panique, je pivote sur moi-même et me mets à courir le plus vite possible. J'ai sûrement l'air d'être folle, mais ce que je viens de voir est encore plus dingue. Je ne sens même pas mes jambes me porter. Je cours, sur un bon kilomètre sans jamais en avoir été capable auparavant dans ma vie sur un laps de temps aussi court. Je m'arrête sur une place vide, mes sensations corporelles refont peu à peu surface. Mes jambes sont douloureuses, la paume de mes mains me brûle et ma respiration est haletante. Le vent contre mon visage me laisse une sensation de picotement.

Lorsque je vois l'édifice devant moi et que je comprends où je me trouve, exactement, ma vue se brouille. Je ne sais comment j'arrive à atteindre les marches du perron mais, après les avoir gravies, je m'écroule contre la pierre froide. De loin, vaguement, j'aperçois le temps de quelques instants deux fillettes avec chacune deux tresses, habillées exactement pareilles. Elles semblent très complices. Derrière elles, un couple se tient la main, ce doit être leur parent. Je suis tellement fatiguée. Je ne tiens plus, si bien que mes yeux se ferment tout seuls sans que je puisse lutter.

Une main me touche l'épaule. J'entrouvre les yeux. Il est très âgé, mais je reconnais les traits de son visage. Ses cheveux, autrefois poivre et sel, sont maintenant d'un blanc immaculé. Il est encore moins épais que la dernière fois que je l'ai vu. Il a donc quand même survécu au cancer lymphatique qui lui avait été diagnostiqué, peu de temps avant que nous quittions la paroisse. C'est l'un des hommes les plus gentils qu'il m'a été donné de connaître. Ça me fait chaud au cœur qu'il soit là, devant moi. Je crois que j'esquisse un semblant de sourire. Le sien est franc. Il se souviendrait, donc, lui aussi de moi.

« Lève-toi, Lisandre. Ne reste pas comme ça dans le froid. Viens à l'intérieur de l'église te réchauffer un peu, me dit-il. »

Je réussis tant bien que mal à me lever. Je le suis, entrant par la porte latérale de l'église. Timidement, je regarde autour de moi. Enfant, elle me paraissait plus grande, maintenant elle me provoque un goût de familiarité et un semblant de nostalgie. Les bancs en bois déjà usé dans mon enfance, les lampes n'éclairant que ceux qui se situent juste au-dessous, le christ sur son crucifix dont il manque les orteils au pied gauche n'a pas bougé, la statue de la vierge et l'enfant dont la couleur est usée me font l'effet d'une vieille maison de famille où j'aurais passé toutes mes vacances et dans laquelle je reviendrais après des années d'oubli et d'absence.

Je m'avance entre les rangées. Le visage des angelots contre les voûtes me paraît toujours d'une tendresse exquise. Je passais beaucoup de temps à les observer durant la messe. Ils me faisaient penser à des nourrissons et plus d'une fois je m'étais dit que j'aurais un bébé qui leur ressemblerait, un ange rien qu'à moi en quelque sorte. Ça me rappelle que ça fait bien longtemps que je n'envisage plus d'être mère. Les autres m'en parlent, mais moi je ne me questionne jamais sur le sujet. J'essaie de me souvenir de ce que je ressentais.

Est-ce que j'étais tout de même heureuse de venir, ici ? Ne suis-je toujours venue à l'église que pour faire plaisir à mes parents ? N'ai-je pas cru en Dieu, ne serait-ce qu'une fois, qu'un instant. Aujourd'hui, je ne sais plus. Il se passe des choses dans ma vie que je ne sais plus comment interpréter. Depuis, que j'ai croisé cette…

« Tu es pensive mon enfant, si je ne me trompe.

— Oui, vous savez il m'arrive des choses étranges, et ce depuis toujours, je crois. Oh, vous allez sûrement me trouver folle mais vous êtes le seul à qui je peux en parler. Déjà, j'ai beau cherché dans ma mémoire je ne me souviens pas avoir véritablement cru en Dieu durant mon enfance et mon adolescence. Pourtant, me croiriez-vous aujourd'hui, si je vous dis que depuis à peine une heure je pense qu'un ange est venu me visiter au moins à deux reprises ? Si, je vous disais également que je crois que Dieu a toujours cherché à attirer mon attention mais que j'ai mis dans ma tête des barrières qui m'ont permis de ne pas le voir.

— Un ange, me dis-tu ?

— Oui, ça semble complètement irréel même peut-être pour vous qui êtes prêtre. Quelques heures après l'accident qu'a eu Agathe, je me suis rendue avec mes parents à l'hôpital. Comprenant ce qui se passait et ne pouvant rester plus longtemps assise à écouter le médecin dire poliment à mes parents que leur fille allait mourir, je suis sortie de son bureau. Je me suis mise à la recherche de la chambre où pouvait bien être ma sœur. C'est là qu'une femme, d'à peu près l'âge que j'ai actuellement, est arrivée sans même que je m'en aperçoive. Je crois qu'elle m'a dit qu'elle était psychologue mais je n'en suis plus si certaine à l'heure d'aujourd'hui. Elle m'a dit des mots réconfortants et déroutants. Elle s'est exprimée au pluriel, en me disant qu'ils seraient toujours là pour moi. Vous devez penser que je suis folle !

— Non, Lisandre, je ne pense pas que tu sois folle. Sûrement un peu dur d'oreille, mais Dieu sait se montrer patient.

— Aujourd'hui, tout à l'heure, avant que mes jambes et mon inconscient me guident jusqu'ici j'ai revu cette femme dans la rue. Elle n'avait pas vieilli ! Je ne saurais l'expliquer rationnellement… mais, elle était bien là. Et, maintenant, je suis avec vous et même si tout ça c'était une preuve de l'existence de Dieu je ne peux pas lui pardonner la mort d'Agathe et toute la souffrance que ma famille a endurée toutes ces années et qu'elle endure encore.

— Ta colère est légitime, mais es-tu certaine qu'elle soit bien orientée ? Tu devrais y réfléchir. Ce soir, je ne peux que te proposer un temps de prière en la compagnie du vieux prêtre que je suis.

— Merci, c'est gentil de votre part mais je vais y aller. Il faut que je reprenne le métro pour rentrer chez moi et si je tarde trop, il n'y en aura plus.

— Comme tu voudras, Lisandre. Je te raccompagne jusqu'à la porte. »

Le temps de retraverser l'église, je me sentais déjà à nouveau lourde de fatigue. Pour ne pas dire que je me sens épuisée. Je n'ai qu'une seule envie, dormir et me réveiller comme si la journée que je venais de passer n'avait jamais eu lieu.

« Lisandre, avant que tu t'en ailles, je voulais te dire que je suis content de t'avoir revu. Je ne vous ai jamais oublié toi et ta famille, j'ai toujours prié pour que vous reveniez vers l'église.

— Merci. Sachez aussi que vous n'êtes pas qu'un vieux prêtre à mes yeux. Vous êtes un homme qui m'a toujours inspiré la confiance et la douceur.

— Je suis heureux de le savoir. Bonne nuit.

— Bonne nuit, à vous aussi. »

Chapitre 16

Mes analyses sanguines étaient revenues sans rien laisser apparaître d'inquiétant. Après ma rencontre avec le prêtre qui avait connu ma famille, il y a de cela bien des années maintenant, j'ai commencé à me traîner telle une loque dans mon appartement. Mon médecin m'ayant mis en arrêt maladie pour dix jours. Je ne m'habillais plus, mangeais très peu et c'était bien trop compliqué pour moi de me rendre jusque dans la salle de bain. Au bout de quelques jours, je suis retombée sur les coordonnées de la psychiatre que m'avait conseillé d'aller voir Nicolas, sur la table de mon salon entre mon courrier qui s'entassait, des dossiers de patients et mon ordinateur qui n'avait plus de batterie et que je n'avais toujours pas eu le courage de recharger. Il fallait déjà que je daigne chercher mon câble.

J'ai pris ce bout de papier entre mes doigts, comme si je le découvrais pour la première fois et qu'il ne m'appartenait pas. L'écriture de Nicolas me semblait toujours aussi douce et je regrettais sur l'instant un peu le temps de mes études. Je regrettais de ne plus être celle qu'il prenait dans ses bras, celle qui occupait nuit et jour ses pensées. J'aurais dû l'aimer. Il le méritait, mais c'était moi qui ne méritais pas d'être aimé par quelqu'un comme lui. Il me semble n'avoir jamais mérité d'être aimé par quiconque et d'avoir toujours eu l'impression dans le regard de ma mère que j'étais maudite de vivre alors qu'Agathe ne le pouvait plus.

Incapable de me contrôler, je m'écroule à terre et me mets à pleurer à chaudes larmes. Je ne sais plus ce que je dois faire ni même si je dois continuer de me forcer à tenter de vivre. Des images m'assaillent, les semaines qui viennent de passer ponctuées de conversations que j'ai eues avec ma mère. Tout ce que j'ai appris, sur ma famille, sur ma sœur, tourne dans ma tête. Je remonte le temps et je revois le sourire de Nicolas qui vient se perdre dans celui d'Agathe. Nous sommes si jeunes. Mes premiers souvenirs sont avec elles. Je n'ai pas plus de deux-trois ans. Je peux presque ressentir ses bras de grandes sœurs. Je me perds dans l'odeur de ses cheveux blonds, son shampooing semblait avoir une odeur de fraise. Je pensais l'avoir oublié. Quelques années plus tard, je nous revois faire du vélo avec notre père. Il y a aussi les fois où il nous porte toutes deux, chacune prenant appui sur l'un de ses bras.

Ce sont les yeux grands ouverts, allongée sur le sol, que Noémie m'a trouvée, totalement absente. Je ne lui répondais pas. Au début, elle avait même pensé que j'étais morte avant de voir que je respirais. Elle avait fait un rêve la nuit précédente où elle courait inexorablement vers une femme et une adolescente de dos. Elle s'entendait crier à leur intention, incapable de se souvenir de ce qu'elle leur disait ni même sans savoir pourquoi elle leur courait après. Puis, elle s'est arrêtée de courir, essoufflée. Les mains posées sur ses cuisses elle haletait. Alors, la jeune fille s'est retournée et Noémie a eu tout à coup très froid, des frissons ont parcouru son corps. Elle avait peur et pourtant, elle ne pouvait se détacher de ce visage et même encore dans les jours qui suivirent elle y a repensé. Agathe la regardait, avec des yeux vitreux comme la mort. L'un des premiers signes de la mort, ces yeux vitreux, sans vie et pourtant, ils s'accompagnaient d'un sourire ou plutôt m'a-t-elle dit ce qui s'apparentait à un sourire. C'était un rictus, qui ne partait que du côté droit de sa bouche, comme si l'autre côté de sa face était paralysé. C'était, également, de ce côté qu'elle me tenait par la main.

Lorsqu'elle m'a raconté son rêve, ce qui l'avait en partie poussé à se retrouver par la suite chez moi et à appeler une ambulance, elle m'a aussi dit que même si j'avais l'âge que j'ai actuellement la manière dont Agathe me tenait la main laissait à penser que pour elle j'étais toujours une petite fille. Il lui semble que je n'avais au moins pas plus que l'âge que j'avais au moment de son décès. À aucun moment d'après elle, je ne me suis retournée, ni n'est protestée. Il n'y avait que ce visage d'Agathe ou peut-être tout simplement celui de la mort, de ma mort, ce rictus et ces quelques phrases qu'elle a prononcées et qui l'ont fait se réveiller.

« C'est ma sœur, pas la tienne. Tu m'agaçais déjà à l'époque. Tu influençais Lisandre, tu la montais contre moi, même une fois que je fus morte. Tu sais, je vois tout et j'entends surtout tout. Maintenant, laisse-la partir avec moi. Elle m'appartient. Tiens-toi loin de nous, si tu ne veux pas que je vienne effrayer tes enfants ou que je leur donne un sommeil lourd d'éternité. Ton Dieu ne pourra rien contre ça, il ne peut rien contre nous. »

Elle m'a dit s'être réveillée en sueur, tout en ayant très froid comme si elle avait eu de la fièvre mais elle savait que ce n'était pas le cas. Malgré ses volets fermés, elle a vu qu'il y avait de la buée sur ses carreaux, tout de suite elle a pensé à de l'humidité et est allée vérifier son chauffage. Il était éteint, alors que chaque soir elle vérifiait qu'elle l'avait activé pour la nuit. Le thermostat indiquait à peine 10 °C, dans la pièce à coucher qu'elle partage avec son mari. Lui, il dormirait encore d'un sommeil de plomb durant la demi-heure à venir. Elle a activé son chauffage et regardé sa montre qui lui indiquait 6 h 30. Elle ne réveillerait pas les enfants avant 7 h 10, mais elle prend chaque matin son petit déjeuner avant qu'ils ne se lèvent. C'est un temps où elle prend du temps pour elle, sans mari, sans enfants pour déjeuner et s'habiller tranquillement.

Cependant, quand elle arrive dans le salon en chemise de nuit et qu'elle met sa cafetière en route, un sentiment de malaise s'empare d'elle et le visage d'Agathe dans son rêve s'impose à son esprit sans qu'elle n'arrive à le chasser. Elle s'assied à la table de leur salon, sa tasse de café posée devant elle, deux cookies à côté de cette dernière et un livre à la main. Elle tente de lire, mais il lui est impossible de se concentrer et ses pensées divergent sans cesse vers le cauchemar qu'elle a fait. Elle se demande même ce que je pourrais être en train de faire à cette heure-là, sûrement en train de me préparer pour me rendre à mon cabinet, se dit-elle. Ça fait bien trois semaines que je ne lui ai pas donné de nouvelles, ce qui est plutôt assez rare. Nous nous téléphonons en moyenne une fois par semaine, voir une fois tous les quinze jours. Nous avons toujours des choses à nous dire, même lorsqu'il n'y a rien à dire. Pourtant, elle m'a trouvé davantage évasive la dernière fois que nous nous sommes appelés. Son époux arrive, il lui parle de chose et d'autre, elle essaie de mettre de côté cette histoire de mauvais pressentiment qui ne part que d'un songe et de faire comme si de rien était.

« Quand je me suis levée, j'ai trouvé qu'il faisait un peu froid. Tu n'as pas aussi eu cette impression-là.

— Oh oui, un peu, mais c'est ma faute. Je me suis aperçue, tout à l'heure, que je n'avais pas mis le chauffage avant d'aller me coucher. Je suis désolée, mon chéri, dit-elle en lui souriant.

— Ce n'est pas grave, tu sais ça peut arriver à tout le monde. »

Une fois de plus, elle s'était dit qu'elle avait une chance infinie de l'avoir rencontré. Il était le meilleur époux dont elle aurait pu rêver, le prince charmant qu'elle avait attendu en quelque sorte. Il lui avait, en plus, fait trois beaux enfants. Il la comprenait mieux que personne et elle croit que c'est aussi valable dans l'autre sens.

Elle alla réveiller les enfants. Tout s'enchaîna, comme d'habitude. Marc partit un peu avant elle et les enfants au travail. Elle dépose les enfants à l'école, qui est sur son chemin pour se rendre au boulot et file à son cabinet. Elle se gare et là, à nouveau cette sensation de malaise et d'inquiétude qu'elle a pour moi depuis le réveil s'accroît. Elle assure sa matinée, recevant une dizaine de patients qui viennent pour la majeure partie pour des angines, des rhumes, des douleurs sans gravité ou des renouvellements d'ordonnances et ce matin-là, une femme enceinte. Cependant, le visage, les mots de ce qui semblait être ma sœur et cette sensation de mal être ne font que tourner dans sa tête et l'envahissent de plus en plus.

Au moment de sa pause déjeuner, sachant qu'en temps habituel la mienne se situe également dans cette tranche horaire là, elle essaie de me joindre par téléphone. Elle appelle quatre fois, sans que je ne décroche. À ce moment-là, elle ne le savait pas et moi non plus, que j'étais déjà en crise de tétanie sur le sol de mon appartement. L'heure tournait et au milieu de cette sensation ambiante qui lui laissait penser que quelque chose clochait, elle se souvint d'une parole biblique qui lui fit se décider à quitter son cabinet, en posant une après-midi pour « enfant malade » même si ce n'était pas la réelle raison de son départ tout à fait exceptionnel sur ses horaires de boulot, pour se rendre à mon appartement. Sa secrétaire, très gentille mais un peu trop à son goût, allait s'occuper de prévenir les patients qui avaient pris rendez-vous pour l'après-midi.

La parole qui lui était venue était celle du Psaume 114, « J'étais pris dans les filets de la mort, retenu dans les liens de l'abîme, j'éprouvais la tristesse et l'angoisse ; j'ai invoqué le nom du Seigneur… » Par ces paroles, elle se rendit compte que je me trouvais très certainement inconsciemment à une jonction de ma vie, et plus précisément en ce moment même, où je me trouvais aux pieds de Dieu, prête à lever les yeux et à prendre conscience de son existence tout en étant en même temps à un stade où mes propres démons étaient capables de m'engloutir d'un instant à l'autre.

Noémie est comme je l'ai déjà dit une très chère amie, depuis bien longtemps, maintenant. Nous avons grandi l'une avec l'autre. Elle devint pour moi, comme une seconde sœur. C'est aussi une fille prudente, ayant le sens du civisme et de l'ordre, mais ce jour-là elle fit de nombreux excès de vitesse pour arriver au pied de mon immeuble. Un voisin passant par là, avec les bras chargés de courses, lui demanda si elle pouvait bien lui ouvrir avec son passe à lui la porte pour qu'il puisse rentrer dans le hall et elle en profita pour en faire de même.

Elle monta quatre à quatre les marches, pour les redescendre quasiment aussitôt, s'apercevant que ma porte était fermée à clé. Elle était à la recherche d'un gardien, ou d'un concierge quelque chose dans le genre du moins. Heureusement, mon voisin de palier ne la prit pas pour une folle et l'aida à déjouer la serrure de ma porte d'entrée. Là, elle entra et me trouva étendue sur le sol, les yeux grands ouverts. Elle demanda à mon voisin qui était resté sur le palier, avant même de tenter d'entrer en communication avec moi, d'appeler une ambulance. Après cela, elle essaya de me parler, de me toucher pour me signifier sa présence et ce n'est qu'au bout de quelques minutes que j'ai enfin émis ce qui pouvait s'apparenter à un grognement et que j'ai peu à peu repris mes esprits.

Je ne me souviens pas du tout de ce laps de temps entre celui où je me suis étendue sur le sol et le moment où je suis revenue à moi. Noémie m'a fait asseoir et elle m'a parlé, un peu par crainte que je ne retourne dans cet état, le temps que les secours arrivent. Je ne comprenais pas très bien tout ce qu'elle me disait. Les secours arrivèrent et tout s'enchaîna. Je fus transporté dans une ambulance, aux urgences. Là, on me fit passer un certain nombre d'examens, dont je ne me suis souvenu qu'une fois rentrée chez moi avec mon dossier sous le bras, après l'avoir feuilleté pour ensuite le ranger tout au fond d'un placard.

Je me laissai faire que ce soit durant les heures aux urgences et les deux jours passés dans une chambre en attendant de terminer les examens et que l'équipe médicale en ait les résultats. J'avais quasiment tout le temps envie de dormir, me sentant très fatiguée. En même temps, il me semblait que l'on venait toujours me déranger, sans vraiment comprendre pourquoi et sans même me demander ce que je faisais-là. Jusqu'au moment, où j'ai rencontré une psychiatre qui m'a dit qu'il allait falloir que j'aille dans un hôpital qui serait plus apte à s'occuper de mon problème, que je souffrais d'une dépression sévère et que me laissez sortir reviendrait à mettre ma vie en danger. Elle m'a demandé si j'avais des questions à lui poser et qu'elle y répondrait du mieux qu'elle le pouvait. Je lui ai répondu quelque chose du genre, comme quoi je voulais rentrer chez moi. Elle m'a réexpliqué que ce n'était pas possible, pour le moment. Alors, j'ai décidé que j'allais me sortir de là par moi-même.

Tout à coup, c'était comme si j'avais retrouvé de ma vigueur. J'ai soulevé les couvertures en basculant sur le côté, tout en projetant mon buste pour pouvoir m'asseoir parce que j'étais toujours aussi faible qu'à mon arrivée. J'ai posé les deux pieds à terre et tenté par deux fois de me lever avant d'y arriver. Une infirmière se dirigeait vers moi. Je n'avais aucunement conscience que je ne pouvais pas aller bien loin dans cet état, que ce soit physique ou psychologique. Elle m'a d'abord gentiment dit de me rallonger, qu'il fallait que je me repose et qu'on allait bien s'occuper de moi. J'ai commencé à essayer de me débattre, disant que mon père allait venir me chercher si eux ne voulaient pas me laisser sortir, qu'ils ne pourraient rien faire contre lui. J'étais, ailleurs, je crois. J'étais redevenue une petite fille, ou alors peut-être qu'au fond je n'en avais jamais été tout à fait plus une. Face à ma réaction, elle m'a dit que les médecins étaient les seuls à pouvoir décider du moment où je serais apte à retourner chez moi, mais que plus je coopérerai mieux cela se passerait pour eux comme pour moi. Ainsi, mes progrès seraient plus rapides et ma prise en charge serait moins lourde et je pourrais revoir mon père.

J'ai reculé contre mon lit, m'y suis assise et là, j'ai éclaté en sanglots. Mon père était mort. Jamais je ne pourrais le revoir et dans le meilleur des cas, il était avec Agathe dans un paradis auquel j'avais du mal à croire. Tout le personnel soignant ne pouvait pas le savoir et je ne leur en voulais pas. D'ailleurs, je l'ai laissé me recoucher et à nouveau m'assommer à coup de médicaments sans lui dire les raisons de mes émois. Plus tard, j'ai appris que ma mère était venue accompagnée de Noémie pour savoir combien de temps ils allaient me garder et si elle pouvait me voir. On lui a répondu que j'allais être certainement transféré dans une clinique psychiatrique, qu'elle verrait avec eux pour les visites, mais que pour le moment ils ne pouvaient pas lui en dire davantage sur mon état. L'après-midi, la clinique l'appelait pour lui dire qu'elle pouvait m'apporter des vêtements, pas d'autres effets personnels pour le moment. Non, elle déposerait les affaires à l'accueil et on s'occuperait de me les porter, pour le moment il était mieux que je ne vois pas mes proches.

Après être venue aux urgences, alors que Noémie s'était garée devant sa maison pour la déposer, ma mère lui a dit qu'elle ne supporterait pas de me perdre étant tout ce qui lui reste. Elle a ajouté qu'heureusement que j'avais été là, ainsi que mon père, après le décès de son premier bébé sinon elle aurait abandonné tout espoir de lendemain. Nous avons toujours été très différentes, j'ai tant pris de mon père tout en étant aussi têtu qu'elle, à croire que d'elle je n'ai pris que ses travers. Elle avait sûrement été trop dure, par moment, mais elle ne voulait pas que je vive à travers le fantôme de ma sœur, surtout pas. Elle m'aime, bien plus que ce que je peux imaginer. Elle est tellement fière que je sois sa fille et de la femme que je suis devenue, lui a-t-elle dit.

Chapitre 17

Cela fait déjà trois semaines que je suis hospitalisée. Je suis arrivée dans une chambre, sans affaires au départ, donc on m'a prêté une chemise de nuit qui me rappelait celle des urgences le temps d'une nuit. Le lendemain, en fin de matinée, on m'a déposé un sac de vêtements que ma mère avait apporté. J'ai tout de même gardé pour le reste de la journée un vieux jogging et un tee-shirt trop grand pour moi, qui n'étaient pas à moi et dont j'ignorais la provenance. J'étais bien trop fatiguée, pour me changer à nouveau déjà qu'il avait été très dur, pour moi, de me lever après cette première nuit. Venant à peine d'arriver, déboussolée et pouvant à peine marcher, il m'a été autorisé de prendre le petit déjeuner dans ce qui allait me servir de chambre pour les semaines à venir et de me recoucher, juste après celui-ci.

Le jour même de mon arrivée, j'ai commencé à prendre plusieurs médicaments. Je ne sais plus si on me l'a dit ou pas, mais je n'ai pas le moindre souvenir de ce à quoi étaient destinés tous ses cachets et je n'avais pas la capacité de m'y intéresser. Je prenais ce que l'on me disait de prendre et ça s'arrêtait là. Ils ont changé à plusieurs reprises, c'est tout ce que je peux en dire d'après le souvenir de leurs aspects, couleurs et le goût exécrable que la plupart me provoquaient en bouche. La première semaine, j'ai passé mon temps à dormir. Mon corps semblait avoir besoin de récupérer des années de sommeils volées.

Au bout de quinze jours, ma mère et Noémie ont pu venir me rendre visite. Je ne me souviens que de très peu de choses. J'étais encore très shootée par tout ce que le corps médical me donnait à ingurgiter comme pilules, il me semble presque même durant cette période avoir davantage avalé de médicaments que de nourriture. Noémie s'est comportée comme d'habitude et s'est même mise en retrait mais ma mère était aux petits soins avec moi, comme elle ne l'avait jamais été. D'après ce qui m'en a été raconté, je ne répondais pas aux questions posées, ni à grand-chose d'autre et restait les yeux perdus dans le vague. Je me souviens, cependant, que lorsque ma mère s'est assise à côté de moi posant sa tête sur mon épaule, j'ai enserré sa taille et logé ma tête contre sa poitrine.

En sortant de la chambre que j'occupais à l'hôpital, Noémie m'a dit que ma mère s'était mise à harceler les infirmiers exigeant de voir le psychiatre qui me suivait. J'ai dû me coucher et m'endormir assez rapidement, parce que même après coup cet épisode ne me parle pas. Un jeune infirmier d'une vingtaine d'années a fini par s'approcher de ma mère et lui a demandé de se calmer, qu'il allait voir si le médecin en question était disponible. Ma mère a arrêté de crier, a essuyé ses joues avec le carré dépassant de la poche de sa veste et s'est assise sur la première chaise qu'elle a trouvée en rabattant son sac à main sur ses genoux. Noémie, à ses côtés, la suivait toujours en silence. Cela n'a pas empêché le personnel aux alentours de continuer à les dévisager et d'adopter un air méfiant.

Noémie a posé sa main sur celle d'Esther. Leurs regards se sont croisés et ma meilleure amie a proposé à ma mère de dire une prière pour que je recouvre la santé et que toutes deux aient la force nécessaire en cette période éprouvante. Je crois que ma mère n'avait pas autant prié de manière fervente depuis très longtemps. Noémie m'a dit que maman serrait sa main au point d'en avoir les phalanges qui blanchissent et qu'après ces quelques minutes d'intense remise au Seigneur, elle l'a remercié à plusieurs reprises pleurant de plus belle et l'a prise dans ses bras.

Un certain temps s'est écoulé, avant que l'infirmier réapparaisse. Il leur fit signe de le suivre. Le psychiatre avait une quinzaine de minutes à leur accorder avant son prochain rendez-vous et il était là, après tout, également pour répondre aux questionnements des familles. Il aurait tout de même aimé éviter cette situation dans les couloirs alors que cet établissement accueille déjà des personnes en état de fragilité psychique. Ils n'ont pas besoin de cela en plus, ni le personnel de travailler dans ces conditions. Il ne faut pas croire, même si c'est un métier évidemment choisi, travailler en psychiatrie n'est pas chose simple. Il connaissait, il y a quinze-vingt ans de cela, un patient qui avait arraché de ses dents la carotide d'un autre parce qu'il ne voulait pas lui donner l'une de ses affaires.

« Enfin, ne vous inquiétez pas, mesdames. Je ne suis pas là pour vous effrayer, mais pas non plus là pour vous mentir. La situation de votre fille est assez préoccupante. Elle est dans une profonde dépression avec une anxiété généralisée et un stress post-traumatique, voire plusieurs. D'ailleurs, je ne veux pas vous faire porter le chapeau, mais c'est certainement lié d'une manière ou d'une autre au rapport que vous entretenez avec votre enfant. J'ai pu lire dans son dossier médical qu'une sœur aînée était décédée il y a vingt ans et le père tout récemment. Toutes mes condoléances madame pour ces tragédies. Ça fait, déjà, beaucoup dans une seule vie. Vos rapports n'ont pas dû être faciles après le décès de votre autre fille, si je ne m'abuse ?

— Non, ça n'a pas été toujours simple, mais aussi comme entre beaucoup d'adolescents et leurs parents. Vous ne voulez pas me faire porter le chapeau, mais vous avancez des arguments comme si c'était le cas. Ce que je vois, pour l'instant, c'est que ma fille est complètement droguée depuis qu'elle est arrivée dans votre service. C'est à peine si elle est encore capable de penser et de s'exprimer. Son esprit est dans un brouillard complet. C'est comme ça que vous aidez vos patients, en les rendant totalement dociles, en les éteignant en quelque sorte ? On ne guérit pas des gens en masquant leur douleur, du moins à ce point. C'est une thérapie dont ma fille a besoin et je n'ai pas besoin d'avoir votre diplôme pour constater qu'actuellement elle est dans l'incapacité de réfléchir à quoi que ce soit. Oseriez-vous me dire le contraire, docteur ?

— Je comprends votre désarroi et votre colère, madame. Je croise beaucoup de parents ou de conjoints qui font face dans un premier temps à la situation en ayant le même genre de réaction que vous. Ils sont en colère et dans l'incompréhension. C'est normal…

— Normal, vous dites ! Ma fille est encore plus mal que le soir où elle a été admise aux urgences. Je vous jure que je ne vais pas m'en tenir là, dans ma colère comme vous dites. Je vais faire en sorte de sortir au plus vite mon enfant de votre établissement, quoi qu'il en coûte.

— Madame, ce n'est pas à vous de décider si Lisandre est en capacité ou non de retourner dans la société. Cela relève de ma compétence et de celle de mes collègues.

— Taisez-vous. Je ne veux plus rien entendre sortant de votre bouche. La prochaine fois que vous me reverrez, ce sera avec une autorisation de sortie pour ma fille.

— Très bien, madame. Sur ce, je pense que nous n'avons plus rien à nous dire et j'ai une jeune femme qui attend à l'extérieur, qui voudrait bien que je soigne son compagnon pour qu'il puisse rentrer au plus vite chez eux se débrouillant seule pour le moment avec un nouveau-né à la maison.

— Ne croyez pas m'attendrir ou me faire culpabiliser, avec vos paroles mielleuses. Évidemment, je ne vous serre pas la main. Au revoir.

— Au revoir, madame. »

Noémie l'attendait à la sortie du cabinet, dans la salle d'attente. Elle avait entendu le ton hausser à travers le mur, mais les gestes saccadés de ma mère lui confirmèrent que l'entrevue ne s'était pas très bien déroulée. Il y avait bien une femme quelques sièges plus loin, les yeux vrillés sur le sol, elle ne vit pas ma mère la dédaigner. Ce n'est qu'une fois dans la voiture de mon amie qu'elle lui dit que ce médecin était vraiment de la pire espèce et qu'elle allait tout faire pour me sortir de là au plus vite. Évidemment, ma mère aurait beau retourner la terre entière et toutes les administrations existantes, chercher dans les lois de tout le pays, rien ne lui permettrait de me sortir de là par sa simple volonté.

Pourtant, une semaine après l'accrochage entre elle et le psychiatre, j'étais de sortie définitive. Je ne saurais expliquer comment cela s'est produit, si ce n'est que j'ai fait un rêve avant de me réveiller pas totalement guérie de toutes ces blessures qui c'étaient entasser au fil des années en moi, mais prête à avancer et à faire la paix avec mon passé. C'est un miracle, diront certains comme mon amie Noémie ou ma mère. D'autres diront que c'est juste chimique, que mon cerveau m'a poussé à survivre. Pour ma part, je tombais des nues et je trouvais peu à peu ce à quoi j'avais toujours aspiré, être aimée pour ce que je suis.

***

Je me retrouvais au fond d'un trou, voir dans le néant, je ne savais pas trop à vrai dire de quoi il s'agit. Il faisait noir et des voix semblaient discuter entre elles au loin. Elles se rapprochent et finalement, je peux en déduire qu'elles s'adressent à moi. Tout à coup, l'une d'entre elles en vient à crier à côté de mon oreille. Je sursaute avant de reconnaître la voix de ma mère et de voir apparaître son visage, mais je ne saurais dire si elle est face à moi ou dans ma tête. Son faciès est tordu par la colère, elle me dit que j'aurais dû mourir à la place d'Agathe. Je vois, ensuite, mon père qui pleure et me dit sans même me regarder que la femme que je suis devenue le déçoit. Mon père s'efface tout aussi vite et Nicolas me fait face l'air grave. Il me dit que jamais je n'aurais dû le quitter, parce que dorénavant j'allais finir ma vie seule et que lui aurait pu m'apporter tout ce dont j'avais besoin. Leurs visages, leurs mépris s'imposent à moi et comme seule défense, j'en viens à me recroqueviller sur moi-même et à pleurer.

Je sentis une chaleur venue d'en haut à travers mes paupières. Elle est chaude et vive. Je ne comprends pas d'où elle pourrait venir, mais j'hésite à lui porter mon attention ou continuer à écouter les voix qui se bousculent de plus en plus. Seulement, venant stopper net ma réflexion une main et la partie d'un avant-bras viennent fendre la noirceur des lieux. Elle se referme sur mon poignet. La peau est froide, pour ne pas dire glaciale. La main est blanche, voire translucide, et dessous, il me semble voir… à travers, des larves de mouches. Je n'ose plus bouger. Les doigts appuient de plus en plus fort contre ma chair. Une voix, venant tout droit de la lumière, s'adresse à moi.

« Lisandre. Lisandre, regarde-moi. Fais-moi confiance. »

Timidement, j'osais lever la tête, vers la lumière qui m'éblouissait. Pourtant, j'étais terrifiée à l'idée de cette main toujours accrochée à mon bras. Au moment où elle allait me tirer vers elle, avec l'impression au fond de moi-même qu'elle m'emmènerait dans une noirceur encore plus vaste et profonde, une chaleur aimante m'envahit. Toute peur m'a alors quitté. La main a relâché son étreinte macabre et a disparu à nouveau dans l'obscurité. Les voix s'étaient également tues.

Je me suis réveillée, consciente de ce qui m'entourait et sereine. Le brouillard qui m'enveloppait, depuis plusieurs semaines, s'était dissipé. Je me suis assise sur le rebord du lit. Je ressentis une petite douleur vive à la base de mon poignet gauche et malgré la pénombre je vis qu'une marque d'ongle était présente, là où la main m'avait saisi dans mon songe. Sans y faire plus attention que cela, j'entrepris de m'habiller.

Chapitre 18

À ma sortie de l'hôpital, ma mère est venue me chercher. J'étais encore un peu fatiguée et peu encline à exprimer une quelconque émotion. Ce que j'aurais pu ressentir avait été endormi à grands coups de molécules artificielles ces dernières semaines. Il me faudrait du temps pour entièrement me retrouver. Tandis, que ma mère débordait d'émotions, bien qu'elle essayât de me le cacher. Aucune effusion, pas d'embrassade, mais son regard brillait.

Une fois en voiture, mes bagages rangés dans le coffre, elle se mit à parler tout au long du trajet qui nous séparait de l'hôpital à la maison. Elle me causait de tout et de rien, sûrement pour évacuer son propre stress de se retrouver avec moi à la maison et d'évacuer tout ce qu'elle avait accumulé le temps de mon hospitalisation. Je faisais mine de l'écouter, en souriant, mais je peinais à la suivre. Elle était persuadée que ses efforts pour me sortir de là avaient payé. Je ne peux lui expliquer ce qui s'est passé, la révélation qui s'est imposée à moi, mais va savoir peut-être qu'un jour nous en discuterons.

Arrivées à la maison, elle m'obligea à m'installer dans le canapé et à me reposer. Dès que je fis le moindre geste laissant penser que je voulais l'aider à monter mes bagages, je me fis rouspéter. Plus tard, dans l'après-midi, je montais tout de même à l'étage. Je retrouvais ma chambre, enfin celle qui l'avait été autrefois. Entre temps, depuis mon départ, elle avait servi à ranger des draps, des bibelots et des DVD à ne plus savoir qu'en faire. C'était un peu devenu la pièce à débarras, même si nous n'en sommes pas au point du garage. Ma mère avait quand même fait tous les efforts possibles pour que je puisse m'y installer confortablement. Le lit était fait et mes vêtements sortis de ma valise et rangés. En disant cela, je m'apercevais que depuis mon départ à la faculté, je n'étais jamais revenu passer une nuit chez mes parents même quand ils avaient tout fait pour m'y encourager. Je n'avais pas, seulement, fui la réalité de la mort d'Agathe mais aussi tout ce qui l'entourait, même mes parents. Je les avais mis de côté et aimés de loin, surtout ma mère. À gauche sur le mur dans un cadre blanc, il y a une photo d'Agathe et moi souriantes à plat ventre sur le sable.

Je ne l'ai pas entendu arriver, mais ma mère se trouvait être dans l'embrasure de la porte tandis que je lui tournais le dos.

« Cette photo est magnifique. Ton père avait pris cette photo, alors que ta sœur venait de te raconter une blague. Vous riez aux éclats.

— Elle est très belle, c'est vrai. Je crois même qu'elle était…

— Oui, elle figurait parmi les photos à son enterrement.

— Maman, est-ce que tu crois ou quelque chose t'aurait déjà laissé penser, ou du moins douter, quant à l'existence de fantômes ou d'esprits ?

— À vrai dire, je ne sais pas trop. Des fois, j'ai cru ressentir ta sœur auprès de moi mais je n'en suis pas sûre. Mon esprit aurait pu me jouer des tours et me faire croire ce à quoi je voulais croire… Pourquoi cette question, Lisandre ?

— Comme ça, lui répondis-je en détournant le regard et en faisant glisser mes doigts sur le meuble. Cependant, lui n'avait pas bougé. C'était le même dans lequel je rangeais déjà mes vêtements étant enfant.

— En tout cas, je suis montée pour t'apporter cela. Tu en feras ce que tu voudras, mais il m'a aidé après la perte de ta sœur et puis celle de ton père. »

Elle me tendit une carte de visite, avant de se retirer. Elle ne savait pas vraiment comment aborder le sujet, je crois. Cela me fait un peu penser à notre relation en elle-même. Il s'agissait des coordonnées d'un certain père Aaron De Valens, prêtre et diplômé d'un master en psychologie.

***

J'avais téléphoné au numéro indiqué sur la carte de visite que m'avait donné ma mère avant la fin de la journée. J'étais curieuse et à vrai dire, ça me faisait chaud au cœur que ma mère fasse un pas vers moi, qu'elle se comporte envers moi comme je n'avais cessé d'espérer que ça arrive depuis la mort d'Agathe. Le père Aaron m'a donné rendez-vous dans un café qu'il me disait bien connaître.

En arrivant, je remarquais que le lieu était plutôt calme et le personnel très serviable. Ils savaient déjà qui j'attendais et me permirent d'attendre à l'intérieur, installée à une table, sans pour autant commander. Il y avait un couple dans un coin qui visiblement s'était arrêté pour un en-cas après des emplettes et un vieux monsieur plus au centre de la pièce qui buvait un café en lisant le journal du jour de la région. Quelques minutes après mon arrivée, le père Aaron franchit la porte. Avant même qu'il ait le temps de déposer sa veste sur le dossier de sa chaise, une jeune femme s'approcha pour prendre sa commande.

« Ce sera pour moi, comme à mon habitude, un café serré. »

Il se tourna alors vers moi et avec un chaleureux sourire me demanda ce que je prendrai.

« La même chose, s'il vous plaît.

— Bien, dit-il, et il s'assit. »

Il me regardait, mais pas d'une manière où je me sentais seulement observée. J'avais l'impression qu'il lisait en moi, me décortiquait couche par couche. Cela dura quelques secondes qui me parurent être une éternité.

« Est-ce que je peux vous appeler par votre prénom ?

— Oui, pas de soucis, mais vous devez déjà le connaître et pas mal d'autres choses me concernant étant donné que vous connaissez ma mère.

— C'est vrai, mais nous ne sommes pas là pour parler de votre mère, du moins pas directement. À l'instant, ce qui m'importe c'est votre ressenti à vous, et à vous seule, la manière dont vous percevez votre histoire et dont vous voulez la raconter. Alors, quel est votre prénom ?

— Lisandre.

— C'est un joli prénom, fort et téméraire, résultant de la contraction de Lys et d'Alexandre. Et qu'est-ce qui vous amène, ici, Lisandre ? De quoi vouliez-vous me parler ? »

Je me demandais par où commencer. Tout venait à se bousculer dans ma tête. Cet homme était psychologue, mais avant tout il avait décidé de consacrer sa vie à la prêtrise. Qu'est-ce que je recherchais le plus ? Pouvais-je tout lui dire même le plus invraisemblable ? J'essayais de faire le tri, le plus rapidement possible pour qu'il ne s'impatiente pas, mais il m'avait tout l'air d'être un homme qui gardait son calme en toutes circonstances.

« Si vous le voulez bien, on pourrait commencer par le début. Et, ne vous en faites pas j'ai tout mon temps, Lisandre. »

Cela me perturbait un peu qu'il ne cesse de prononcer mon prénom, mais je pris tout de même une grande inspiration et commençait mon récit. Je lui parlais d'Agathe, de notre relation et de notre famille en générale jusqu'à la mort de ma sœur qui nous avait divisés. Sans oublier la femme qui m'avait abordé à l'hôpital, dans le service de réanimation où était Agathe et ma vocation pour la psychologie et les enfants qui en avaient découlé. La réussite de ma carrière professionnelle. Les secrets enfouis par les uns et les autres. Mes cauchemars à la fois si macabres et si réalistes. La femme de l'hôpital dont j'ai à nouveau croisé le chemin mais qui n'avait pas pris une ride, dont les paroles étaient toujours aussi intrigantes. Pour finir, mon hospitalisation et ma rencontre avec l'insaisissable qu'il devait sûrement appeler Dieu.

« Vous avez peur que je ne vous prenne pas au sérieux, n'est-ce pas ? Je vous crois, mais je ne pourrais pas vous expliquer tous les phénomènes que vous avez vécus. Vous n'avez visiblement pas encore tout à fait terminé votre deuil, concernant le décès de votre sœur et celui de votre père est venu rouvrir des plaies que vous pensiez avoir fermées pour de bon. Mon travail avec vous ça va être de vous aider à lâcher prise sur ce passé qui vous encombre et qui nuit à votre vie actuelle. Il faut que vous lâchiez la main au fantôme d'Agathe. Il va aussi falloir que l'on travaille sur votre besoin de tout contrôler, notamment le ressenti des autres et les relations au sein de votre famille. Vous ne pourrez sûrement jamais réconcilier votre mère et votre grand-mère, si elles ne le veulent pas mais il ne faut pas que cela empiète sur votre relation avec l'une ou l'autre et vous empêche d'avancer dans votre propre vie.

Vous devez cesser de vivre en cherchant à être la petite fille modèle, qui veut plaire à sa mère à tout prix parce que même si ce n'est qu'inconsciemment, c'est le schéma et le discours que vous continué à entretenir, Lisandre. Elle ne vous le demande sûrement pas déjà, mais pour le comprendre il faudrait que vous renouiez le dialogue avec elle. Ça ne va pas être simple, les efforts ne doivent pas venir que de vous, mais ce n'est pas chose impossible.

Si déjà on arrive à avancer dans tout cela, je pense que vos cauchemars se feront plus rares et que vos démons vous laisseront un peu tranquille. De plus, vous semblez avoir un ange gardien qui vous suit de près et Dieu, lui-même, vous sera d'une grande aide. »

Je ne sais plus combien de temps nous avons discuté, mais le soleil se couchait lorsque je suis rentrée chez ma mère, ce jour-là. Au moment de passer à table, elle m'a simplement demandé si mon entrevue avec le père Aaron s'était bien passée et dans son bénédicité, elle avait remercié Dieu d'intercéder pour moi par le biais du Père.

***

J'allais voir chaque semaine le père Aaron. Je me concentrais totalement sur ma guérison, étant en arrêt maladie depuis mon hospitalisation. Je comprenais que les réponses étaient avant tout en moi, mais il m'aidait à y voir plus clair et à appréhender le pardon, le lâcher-prise et il me parlait de Dieu. Quant à ce dernier, il ne m'imposait nullement ses croyances, mais répondait à mes questions et parmi plusieurs possibilités de réponses à un problème il me proposait également une vision chrétienne. Il m'avait juste une fois demandé de venir à la messe pour au moins voir de quoi il retournait, m'affirmant que beaucoup de choses avaient changé au sein de l'Église depuis mon enfance. J'y suis allée, je me souvenais de certains chants et j'y ai croisé des personnes bienveillantes, mais je ne savais pas encore si j'y retournerai. Après six semaines à se voir intensément, chaque semaine, nous sommes passés à une fois toutes les deux semaines, puis toutes les trois semaines et enfin, à une fois par mois. Six mois étaient déjà passés, une demi-année, il m'a alors demandé ce que j'envisageais maintenant pour la suite.

« Lisandre, vous avez fait beaucoup de progrès en six mois. Votre relation avec votre mère s'est pacifiée, vous êtes davantage attentionnées l'une envers l'autre, vous ne faites plus de cauchemars depuis plus d'un mois et vous m'avez dit vous sentir plus légère. Je n'ai donc plus rien à vous apporter, c'est à vous de continuer sur votre lancer et même si vous en doutez, je peux vous assurer que vous en êtes capable. J'aurais une dernière question, qu'allez-vous faire maintenant, que ce soit sur le plan professionnel ou personnel ? Évidemment, vous n'êtes pas obligée de répondre à cette question.

— Je vais reprendre mon travail, il me plaît, mais je vais m'y impliquer différemment. Ces dernières semaines, ma vision a un peu changé concernant le monde qui nous entoure et je pense que ça influencera forcément sur la manière dont j'aide ces enfants. Je vais, également, retourner dans mon appartement mais pas avant quelques semaines le temps d'y préparer ma mère. Cependant, je tiens à ce que ce ne soit que provisoire. J'ai besoin de changer d'environnement et j'aimerais bien un jour acquérir une maison, seule ou avec quelqu'un. »

Lorsque je suis rentrée, ce jour-là, j'ai appelé ma mère depuis l'entrée mais elle ne répondait pas et je ne l'ai trouvée dans aucune pièce du rez-de-chaussée. Cela m'inquiétait un peu, ce n'était pas dans ses habitudes de s'absenter sans prévenir. Je montais à l'étage. J'entrebâillais la porte de sa chambre et au même moment j'entendis comme un sac qui tombait à terre. Je me précipitais d'où provenait le bruit, la chambre d'Agathe. Ma mère était au milieu de la pièce, avec autour d'elle des cartons vides, d'autres pleins ou en train de se remplir et les affaires d'Agathe un peu éparpillées partout. Elle me vit et me sourit, avant de me dire d'entrer et de venir l'aider.

« Tu es certaine que tu veux faire cela, maman ?

— J'en suis certaine, ma fille, dit-elle en m'embrassant le front. Je pense donner les vêtements à une association, vendre les meubles et garder quelques-uns de ses effets personnels comme son appareil photo qui se revendrait très bien mais il me rappelle tant souvenirs. Ce serait comme jeter une partie d'Agathe et ce n'est pas ce que je veux. Je veux vivre et avancer avec ceux qui sont encore là et auxquels je tiens, mais je ne veux pas effacer le passé, ni chercher à le modifier comme j'ai pu essayer de faire auparavant. Agathe fera toujours partie de moi, je l'aimerai toujours, dit-elle une larme au coin de l'œil.

— Je comprends ce que tu veux dire, maman, ne t'en fais pas. Tu prends la bonne décision et peu importe ce que peuvent en penser les autres, ce qui importe c'est que tu sois en accord avec toi-même dans ce que tu fais. Si tu es intimement convaincue que c'est cela que tu dois faire, alors c'est la meilleure décision à prendre.

— Merci. Est-ce que tu veux bien m'aider à descendre les cartons qui sont déjà faits et continuer à trier le reste ? »

Je lui souris et acquiesçais. On mit deux bonnes heures à terminer de trier, ranger et descendre les cartons. Au moment de faire le dernier aller et retour entre le salon et ce qui fut la chambre d'Agathe, ma mère se figea dans l'entrebâillement de la porte. La pièce était à présent vide, les murs nus, le bureau ne semblait jamais avoir été utilisé et le matelas stérile. Je mis une main sur son épaule, en signe de soutien pour lui montrer que je comprenais ce qu'elle pouvait ressentir. Je crois qu'elle aurait voulu tout remonter et réarranger la pièce comme avant et en même temps refermer la porte sur la chambre vide et ne jamais la rouvrir. Elle se retourna vivement et me serra contre elle en sanglotant. Cela me donna, également, envie de pleurer et je ne pus me retenir. Je ne saurais dire combien de temps nous restâmes dans les bras l'une de l'autre à pleurer tout en nous consolant, mais c'est ma mère qui y mit fin pour fouiller dans l'une de ses poches.

« J'ai quelque chose pour toi, Lisandre. Je l'ai trouvé dans une boîte où Agathe gardait des photos. Il y avait un peu de tout, mais c'est surtout celle-ci qui a attiré mon attention et je voulais te la donner. »

Elle me tendit une photo en noir et blanc où figurait Agathe et moi-même bras dessus, bras dessous. On se regardait dans les yeux en souriant, le profil de trois quarts. Je crois que je pouvais dire que c'était la plus belle photo de nous deux qu'il pouvait il y avoir et pourtant, je ne l'avais jamais vu avant du moins de ce que je m'en souvienne. Il était certain que cette photo venait de son polaroïd. Je la rangeais dans mon portefeuille.

Épilogue

Tout en marchant, je me rappelais l'année que je venais de passer et les changements qui s'opéraient actuellement dans ma vie. Je venais de signer le bail d'un nouvel appartement, à mi-chemin entre la maison de Noémie et de celle de ma mère, dans lequel j'emménagerais la semaine prochaine. J'aurais aimé qu'Agathe soit là, qu'elle voie tout ce que j'avais parcouru mais plus je me penchais sur la question plus j'étais encline à croire qu'elle devait être quelque part, et de là elle nous voyait ma mère et moi. J'en avais assez vu pour savoir que nous n'étions pas seuls, même si j'ignorais qu'elle était véritablement la nature de ces forces. D'ailleurs, tous ces changements dans ma vie me ramenèrent à une autre source que je prenais le plaisir de redécouvrir.

Enfant et adolescente, j'écrivais beaucoup, tout ce qui me passait par la tête et sur n'importe quel support que j'avais à portée de main. Je n'avais pas oublié, juste eu tellement d'autres choses plus urgentes en tête, la sœur qui m'avait dit que je devais continuer à écrire parce que selon elle j'étais plutôt douée. Il est venu le temps que je me pose et que je passe de ce qui est urgent à ce que je considère d'important dans ma vie et ce que je veux réaliser. Je veux écrire un livre, rêve déjà de la gamine que j'étais. On verra où cela me mènera, mais avoir repris l'écriture me fait déjà beaucoup de bien.

Quand j'arrivais sur le parvis de l'église, il y avait déjà un certain nombre de gens. Je regardais ma montre, la messe commençait dans cinq minutes. Cela faisait un mois que je me rendais tous les dimanches dans la maison du Seigneur, même s'il est partout autour de nous. Quelques personnes me saluèrent de la tête lorsque je gravis les marches du perron. Je poussais la lourde porte battante et m'avançait en prenant le temps de saluer le Christ en sa demeure, ensuite rejoindre un banc et m'asseoir. Je souris à l'idée de me dire qu'il y a encore de cela quelques mois je n'aurais jamais envisagé me retrouver ici. La vie pouvait donc être faite de bonnes et chaleureuses surprises. Ma mère, quant à elle ne se sentait pas prête à m'accompagner à la messe et peut-être ne serait-elle jamais prête à y retourner. Ce n'est pas très grave, Dieu est dans son cœur et c'est le principal.

Au début de la cérémonie, un homme brun d'à peu près mon âge sur la rangée parallèle à la mienne me fit un signe de la main. Je ne le reconnus pas et lui répondis par simple politesse. Après l'heure de l'office, à la sortie de l'église, j'appréciais quelques instants sur le parvis le soleil qui réchauffait ma peau avant de rentrer chez moi quand un homme dans mon dos m'appela par mon prénom. Je me retourne et vois l'homme qui m'avait salué un peu plus tôt. La première réflexion qui me vint en tête était qu'il était, finalement, de près plutôt châtain foncé que brun.

« Excusez-moi, je ne me suis pas présenté. Je suis Mathieu, dit-il en me tendant la main.

— Enchanté, moi c'est Lis…

— Lisandre, oui je sais. »

Alors, tout à coup le rapprochement se fit dans ma tête et je revis le visage du jeune homme de seize ans se superposer à celui de l'homme adulte. C'était Mathieu, le garçon après lequel Agathe courait au lycée, mais qui je crois n'avais jamais voulu d'elle. Le monde était petit et surprenant.

« Désolé, je débarque comme ça et tu ne te souviens peut-être pas de moi. En plus, je te tutoie mais peut-être que tu voudrais que je te vouvoie, car après tout on ne se connaît pas vraiment. De plus, la dernière fois que l'on s'est adressé la parole même si c'était par le biais d'internet, je ne t'ai pas grandement aidé.

— Tu peux me tutoyer Mathieu. Tu sais, je ne t'en veux pas. Ce n'était pas de ton ressort de m'apporter des réponses. Tu étais un jeune, comme moi. Quoi que ça m'étonne de te voir ici, je ne savais pas que tu étais croyant.

— En effet, c'est assez récent. Je me suis fait baptiser à l'âge de vingt ans, donc ça fait une dizaine d'années maintenant mais pas autant que certains qui le sont depuis le berceau. C'était suite… Enfin, quand tu m'as contacté au sujet d'Agathe, j'étais dans une grosse dépression et mes parents ne savaient plus quoi faire. J'ai mis plusieurs années à m'en sortir et à vrai dire, c'est en partie grâce à ma rencontre avec Dieu.

— Je comprends et tu n'as pas à te justifier, lui dis-je en posant ma main sur son bras et m'étonnant moi-même. »

Il m'a alors proposé d'aller boire un café, ce que j'ai accepté n'ayant rien d'autre à faire. Il m'emboîta le pas, le temps que je regarde l'heure sur ma montre. Instinctivement, juste dessous celle-ci, je caressais la cicatrice à l'intérieur de mon poignet qui me rappelait mon songe et l'issue de la lutte que j'avais menée tout ce temps.

Imprimé en Allemagne
Achevé d'imprimer en mars 2022
Dépôt légal : mars 2022

Pour

Le Lys Bleu Éditions
40, rue du Louvre
75001 Paris